OHSAMA BUNKO

「暗殺事件」ミステリー

博学面白倶楽部

三笠書房

はじめに　歴史を激動させた「あの死」の真実

世界の歴史は誰によって動かされてきたのだろうか。
絶対的権力者だろうか？　あるいは最強の武将だろうか？

表向きは確かにそうかもしれない。
しかし、本当に世界を動かしたのは？
たった一発の銃弾《じゅうだん》、たった一人の裏切り、だったとは考えられないだろうか。

「暗殺」――
多大な影響力をもつ要人をひそかに狙い殺害すること。そして、それは**単なる一人の死ではすまずに、国や社会のしくみまでも変えてしまう**。

武家による全国支配確立の引き金となった源実朝《みなもとのさねとも》謀殺《ぼうさつ》、倒幕の機運を高め、明治維新《いしん》へとつながった桜田門外の変。
古代ローマにおける帝政《ていせい》期の呼び水となったカエサル惨殺、泥沼のベトナム戦争をエスカレートさせたケネディ大統領暗殺……。

日本でも世界でも、歴史の転換点では暗殺事件が起こっていることが多い。しかも、そうした**事件は真犯人や黒幕の存在が囁《ささや》かれたり、後世に新たな事実が明らかになったりと、ミステリー要素を多分に含んでいるのだ**。

本書では、歴史に影響を与えた暗殺事件を中心にピックアップし、その真相に迫っていく。そのとき、その場で起きたという事実は教科書に出ていても、事件の背景や当事者たちの動向、疑惑などについては、なかなか語られることがない。その「ミステリー」に満ちた暗殺事件を、存分に楽しんでいただきたい。

博学面白倶楽部

「暗殺事件」ミステリー●もくじ

第1章　「迷宮入りした惨劇」のリアル
――ほくそ笑む黒幕の正体とは？

第2章

〝権謀術数〟にまみれた男たちの末路

――これが「政争」の最終形なのか

第3章

いつの世も〝新しき者〟は狙われる
――反乱・革命は犠牲なしには始まらない

第4章

こんなことが正当化できるのか!?

――陰謀はこうして明るみに

第5章

邪魔者はいったい誰だ
――「思想が異なる」というだけで

本文写真　Adobe Stock／PIXTA／アフロ／国立国会図書館

第1章

「迷宮入りした惨劇」のリアル

——ほくそ笑む黒幕の正体とは?

史上初の衛星中継で駆け巡った衝撃映像

ケネディ大統領暗殺事件（1963年）

歴史上、もっともセンセーショナルな暗殺事件といえば、ケネディ大統領暗殺事件を挙げる人も多いのではないだろうか。

被害者のジョン・F・ケネディは第三十五代アメリカ大統領。就任時の年齢は四十三歳。

若い大統領は、キューバ危機では核戦争を回避、アポロ計画を推進するなどのさまざまな功績でアメリカ国民に支持されたが、就任三年目の一九六三年十一月二十二日、遊説《ゆうぜい》先のテキサス州ダラスで暗殺されてしまったのである。

大統領暗殺のニュースは、テレビとラジオを通じて瞬《また》く間に全米中に広がった。日本では偶然にもこの日が、テレビ放送史上初となる通信衛星を使った日米間の衛星中継の実験放送の日にあたっていた。

その記念すべき日、最初に飛び込んできたニュースがアメリカ大統領暗殺という悲報だったことに、日本国民は大きな衝撃を受けた。

大統領はパレード中に妻の目の前で

この日、ダラスのラブフィールド空港に到着したケネディ大統領は、ジャクリーン夫人やテキサス州知事夫妻とともにオープントップのリンカーン・コンチネンタルに乗り、**ダラス市街をパレードした。そして約四十分後、市内のエルム通りに入ったとき、ライフルで狙撃《そげき》された。**一発目は頸部《けいぶ》に命中、二発目は右側頭部に当たり、大統領の頭蓋《ずがい》を破壊した。

ケネディ大統領はかすかに息があり、すぐに病院に運ばれて輸血処置や人工呼吸が施《ほどこ》されたが、銃撃《じゅうげき》の二十分後には死亡が確認された。

警察はただちに捜査《そうさ》を開始、狙撃に使用されたであろうビルを調べた。そして事件発生の七十分後には、暗殺現場の前にあったテキサス教科書倉庫ビルの職員であるリー・ハーヴェイ・オズワルドを容疑者として逮捕する。

捕まったオズワルドは容疑を否認した。二日後の十一月二十四日、彼はたいした供《きょう》述《じゅつ》もしないまま、ダラス警察署の地下駐車場でジャック・ルビーというナイトクラブ経営者に銃撃されて死んでしまう。

調査報告を否定する数々の複数犯説

ケネディ大統領はなぜ殺されたのか。

アメリカ政府はウォーレン委員会という調査報告のための委員会を組織し、事件の翌年に報告書を公表した。

そこには、事件はオズワルドによる単独犯行であり、組織的な陰謀《いんぼう》はいっさいなかったと記してあった。

当時も、そして現在も、この報告を真に受けている人間は少ない。最近の調査でも、**アメリカ国民の六割以上が、暗殺は複数犯によるものではないかと考えている**という結果が出ている。

ケネディのあとを継《つ》いだジョンソン大統領は、オズワルドがキューバに関係していたのではないかと疑っていた。

この他にも事件をめぐっては、マフィア主犯説、亡命《ぼうめい》キューバ人主犯説、政府主犯説、ニクソン大統領主犯説、フーヴァーＦＢＩ長官主犯説、ダレス元ＣＩＡ長官主犯

この華々しいパレードのさなかに悲劇は起きた

説など、今日に至るまでいくつもの説がささやかれてきた。

しかし、どれも想像の域を出るものではなく、今に至っても真相は解明されずにいる。

実はこの事件については、膨大な枚数の機密《きみつ》文書が保存されており、アメリカ政府は未公表資料の全面公開を決めている。

しかしながら、たとえ公開されてもそこにすべてが書かれているとは限らない。真実を知るには、黄泉《よみ》の国にいるオズワルドに語らせるほかに術《すべ》はないだろう。

いまなお愛される伝説のミュージシャンの突然の死

ジョン・レノン射殺事件（1980年）

一九八〇年十二月八日、世界中を驚かせた悲しい出来事が起きた。ビートルズのメンバーであるジョン・レノンが銃撃によって殺されたのである。

ジョンはこの日、妻のヨーコとともに仕事を終えると、レストランに夕食をとりに行く前に、家で寝ている五歳の息子の様子を見ておこうと自宅のある集合住宅（ダコタ・ハウス）に戻った。夫妻がここに住んでいることはファンの間ではよく知られていて、ジョンは待ち受けるファンに求められるまま、サインや握手に応じていた。

ファンの凶弾に倒れた世界的スター

この晩もすでに遅い時間ではあったが、ファンが待っていた。が、そのうちの一人、**マーク・チャップマンという二十五歳の青年はただのファンではなかった。**

彼はレノン夫妻が自分の前を通り過ぎると、持っていた拳銃《けんじゅう》でジョンの背中を撃《う》ったのである。四発が命中し、ジョンは建物のロビーに倒れた。

駆《か》けつけた警官たちはすぐにパトカーでジョンを病院へ運んだ。連絡を受けた病院では医師たちが治療の準備をして待っていたが、到着したときにはすでにジョンの呼吸は停止していた。懸命《けんめい》の蘇生《そせい》も無駄だった。四発もの銃弾に襲《おそ》われたジョンは、胸部《きょうぶ》に大量の出血をしていて、どんな名医であろうと助けることはできなかった。

チャップマンはあっけなく逮捕される。ジョンを撃つと、建物のドアマンに銃を取り上げられた。抵抗はせず、歩道上に座り込んだ彼は、銃のかわりに携《たずさ》えていたJ・D・サリンジャーの『ライ麦畑でつかまえて』を手に持って、警官が来るのを待った。

世界的スターの死は、狂信的《きょうしんてき》なファンの仕業《しわざ》とされた。ジョンの死から六日後、ヨーコの願いに数百万人のファンが応え、黙禱《もくとう》が行なわれた。その後もビートルズのメンバーをはじめ、多くのミュージシャンたちがジョンの死を悼《いた》んで追悼《ついとう》曲を発表した。

彼を祈念する式典は、死後四十年が過ぎた現在も開かれている。

犯人の不可解な動機とは

実際のところ、チャップマンはなぜジョンを殺害したのか。知られるところでは、子ども時代のチャップマンは暴力的な父親に怯《おび》える毎日を過ごしていたという。その反動か十代になると反抗的な少年になったが、教会の活動に触れることで更生《こうせい》した。しかし大人になってからは自殺願望が芽生《めば》え、精神的に不安定な状態が続いた。結婚はしていたものの異常行動が目立ち、ついにはそれが好きだったはずのジョンの殺害へとつながったとされている。

事件から三十年が経った頃、チャップマンは**ジョン・レノン暗殺の動機についての取材に「彼を殺せば自分も何者かになれると考えていた」と答えている。**そしてそれを自らのわがままであったと語っている。この限りでは、チャップマンは稚拙《ちせつ》としか言いようのない承認欲求の持ち主だったことがわかる。

チャップマンが服している無期刑は、二十年を過ぎると仮釈放《かりしゃくほう》の申請ができる。しかし、毎年のように行なわれている申請は現在のところすべて却下されているという。

妻のヨーコが日本人であったことからもわかるように、ジョン・レノンはたいへんな親日家《しんにちか》だった。当時を生きていた人なら記憶しているだろう。ジョンの死は日本でも大きく報道された。その日はテレビもラジオも倣《なら》ったかのようにビートルズの曲を流し続けた。

「新しい世」を見られなかった明治維新の立役者

坂本龍馬暗殺事件（1867年）

幕末に起きた数多《あまた》の暗殺事件のなかでも、桜田門外《さくらだもんがい》の変《へん》と並んで広く知られているのが坂本龍馬《さかもとりょうま》の暗殺だ。

龍馬は、一八三五年生まれで土佐《とさ》の出身。実家の坂本家は、武士としては身分の低い郷士《ごうし》であったが、豪商《ごうしょう》である才谷屋《さいたにや》の分家《ぶんけ》であり、身分の高い武士に金を貸すほど裕福《ゆうふく》だったという。

もし、龍馬がそのまま土佐で暮らし続けていたら、明治維新後は商人として人生を全《まっと》うした可能性がある。が、歴史は彼に大きな役割を与えた。

歴史が「平凡であること」を許さなかった男

一八五三年、龍馬は江戸に剣術《けんじゅつ》修行に出る。入門先は北辰《ほくしん》一刀流の開祖《かいそ》千葉周作《しゅうさく》の弟である千葉定吉《さだきち》が道場主を務める桶町《おけまち》千葉道場であった。ここで龍馬はその後の人生にかかわる重大な事件に遭遇《そうぐう》する。それが黒船《くろふね》の来航であった。
鎖国《さこく》の日本に突如《とつじょ》として現れた異国の艦隊《かんたい》に刺激を受けた龍馬は、佐久間象山《さくましょうざん》の門《もん》下《か》生となり、短い期間ではあったが洋学に触れた。土佐に帰国後も、画家で思想家の河田小龍《かわだしょうりょう》のもとで国際情勢を学んだ。しかし、この時点では、まだ単なる尊皇攘夷《そんのうじょうい》派の一志士《しし》であった。

一八五六年、龍馬はふたたび江戸に剣術修行に出た。そして土佐に戻ると武市瑞山《たけちずいさん》の率いる土佐勤王党《きんのうとう》の一員となって働いた。その後、動きの鈍《にぶ》い土佐藩に焦《じ》れて脱藩《だっぱん》。挙兵《きょへい》するという噂《うわさ》のあった薩摩《さつま》藩に合流しようとしたがかなわず、結局は古巣である江戸の千葉道場に身を寄せた。

この三度目の江戸滞在中に龍馬は幕府の軍艦奉行並《ぐんかんぶぎょうなみ》である勝海舟《かつかいしゅう》と出会う。アメリカに行ったことのある勝が説《と》く海軍創設論に感銘《かんめい》を受けた龍馬はそのまま弟子《でし》となり、神戸にできた海軍操練所《そうれんじょ》の塾頭《じゅくとう》となった。

しかし、勝が幕府の不興《ふきょう》を買って軍艦奉行の役を罷免《ひめん》されると操練所は解散。龍馬は仲間たちと長崎に行き、いまでいう商社的な組織である亀山社中《かめやましゃちゅう》（のちの海援隊《かいえんたい》）を設立する。龍馬がその本領を発揮しはじめるのはこの頃からだ。

容疑者が多すぎるミステリー

自由な立場となった龍馬は、犬猿《けんえん》の仲であった薩摩と長州《ちょうしゅう》の同盟を仲立《なかだ》ちし、倒幕の流れを一気に加速させる。そして土佐藩の山内容堂《やまうちようどう》をも動かし、将軍・徳川慶喜《よしのぶ》に大政奉還《たいせいほうかん》を決意させたのだった。

一八六七年の大政奉還から一ヶ月が経った頃のことだった。龍馬は京都の近江屋《おうみや》に、同じ土佐出身の中岡慎太郎《なかおかしんたろう》といた。慶喜に大政奉還を促《うなが》したのは山内容堂や後藤象二郎《ごとうしょうじろう》であったが、その裏にいるのが坂本龍馬であることは知られていた。

佐幕《さばく》派はもちろん、平和的に政権を徳川家から朝廷に移行させようと考えていた龍馬は武力倒幕を考える倒幕派からも邪魔《じゃま》者扱いされていた。そのため龍馬は人目《ひとめ》を忍んで近江屋の土蔵《どぞう》に身を潜《ひそ》めていたのだが、このときは風邪《かぜ》気味だったため、母屋《おもや》の二階に移っていた。

夜、中岡と話していた龍馬のもとに十津川郷士《とつかわごうし》を名乗る数名の武士が訪れた。彼らは二階に駆け上ると、休んでいる龍馬と中岡に斬《き》りかかった。龍馬は額《ひたい》の他、数箇所を斬られ絶命《ぜつめい》した。中岡は虫の息であったが、その後、二日間生きて死んだ。

龍馬を殺害したのは誰か。土佐藩は新撰組《しんせんぐみ》の仕業だと考えた。だが、決定的な証拠はなく、しばらくは誰が犯人なのかわからなかった。

明治になり、元京都見廻組《みまわりぐみ》の今井《いまい》信郎《のぶお》の証言によって見廻組の佐々木《ささき》只三郎《ただ さぶろう》や今井たちの手による暗殺であったことが判明した。その背後にいたのではないかと疑われているのが紀州藩《きしゅう》だ。

かつて紀州藩の船と龍馬所有の船「いろは丸」が衝突事故を起こし、いろは丸が沈没した。その際、龍馬は賠償《ばいしょう》交渉を行い、紀州藩から七万両もの大金を手にした。交渉は龍馬が死すら覚悟した強引なものだったという。これを恨《うら》みとした紀州藩が何らかの形で絡《から》み、見廻組の襲撃《しゅうげき》につながったと考えられているのである。

とはいえ、今井の証言もあくまでも証言でしかない。そのため、**現代になってもなお、真犯人は別にいたのではないかと考える人たちはあとを絶《た》たない**。

諸説あるなかには、薩摩藩説、土佐藩説、なかには武力倒幕を進めたい中岡慎太郎が龍馬を斬ったのではないかという説もある。なんにせよ、これだけ容疑者が多い暗殺事件も珍しい。坂本龍馬という男の存在感が大きかったという証《あかし》だろう。

ハルビン駅頭で響いた三発の銃弾が残す謎

伊藤博文暗殺事件（1909年）

明治時代、日露《にちろ》戦争に勝利した日本は朝鮮半島における覇権《はけん》を決定的なものにする。日本の保護国となった朝鮮には韓国統監府《とうかんふ》が置かれた。その初代統監となったのが伊《い》藤博文《とうひろぶみ》だった。

伊藤は日本の初代内閣総理大臣であり、首相だけでなく枢密院《すうみついん》議長や宮内《くない》大臣を歴任した政界の重鎮《じゅうちん》である。当時の日本では「強権《きょうけん》をもって韓国を併合《へいごう》すべし」といった論調が盛《さか》んであったが、これに対し**伊藤は「日本と韓国は合併《がっぺい》する必要はない」と、あくまでも韓国をひとつの国として発展させようとしていた。**

凶弾に倒れながら――「誰だ」

一九〇九年十月二十六日、同年の六月に三年半務めた韓国統監を辞任していた伊藤は、ロシアのココツェフ蔵相《ぞうしょう》と満州、朝鮮問題について話しあうためにハルビン行きの列車に乗った。到着したハルビン駅ではロシアの警察や儀仗兵《ぎじょうへい》、各国の領事館員などの歓迎を受けた。しかし、ホームで伊藤を待っていたのはそれだけではなかった。

三発の銃声が鳴った。すべては伊藤を狙って放たれたものだった。銃弾は三発とも伊藤に当たった。伊藤は凶弾《きょうだん》に倒れながらも「誰だ」と問うた。その場に居合《いあ》わせたロシア兵たちが犯人の男を取り押さえた。伊藤を撃ったのは安重根《アンジユングン》という韓国の独立運動家だった。

三箇所を撃たれた伊藤は、三十分ほど生きてまわりの者と言葉を交わしたりしたが、結局は失血死したのであった。

単独犯説を仕立て上げたのは？

安重根は裁判にかけられ、処刑された。

反日感情を持つ韓国の人々は、彼を愛国者の英雄と見なした。**安重根や反日運動家たちにとって、初代韓国統監である伊藤は穏健派《おんけん》であろうとあるまいと、母国を支配する侵略の象徴であった**からだ。

安重根は取り調べのなかで、伊藤暗殺は自分一人で行なったものだと証言していた。

単独犯だと語る安重根（右）の背後には黒幕が!?

しかし、その証言にもかかわらず、伊藤暗殺には疑問が残った。弾痕《だんこん》を検証した結果、伊藤は安重根のいたホームよりも高い位置から撃たれた可能性が高いことが判明したのである。

それだけではない。伊藤の体内に残っていた弾丸を調べると、それは安の使用した拳銃（ブローニング）のものではなく、フランス騎兵隊で採用されているカービン銃のものだった。

現場に居合わせたココツェフによると、ロシアの警察は前日に別の駅で拳銃を所持していた朝鮮人を三人逮捕していたという。

伊藤博文殺害は本当に単独犯によるものだったのか。犠牲《ぎせい》者が大物政治家だったがゆえに、その暗殺にはさまざまな陰謀説が登場した。

日露戦争の敗戦を恨みに思うロシアによる謀殺、朝鮮をふたたび支配下に置きたい清国の策略など、こうした説を唱《とな》える人々は真犯人追求を訴えた。しかし、日本政府はときの首相である山本権兵衛《やまもとごんべえ》はじめ、誰もが単独犯のテロリストによる犯行だとして、罪を安重根一人のものとした。

事件を外交問題に発展させないためにも、日本政府としてはこれを単なる殺人事件として扱いたかったのかもしれない。あるいは、実は日本側のなかにこそ伊藤暗殺をもくろんでいた人物がいたという可能性もある。韓国併合を願う人々にとって、穏健派の伊藤は邪魔な存在であったからだ。

その後、結局、韓国は日本に併合され、それは第二次世界大戦における日本の敗北まで三十五年間続くこととなった。安重根は現在も、韓国では独立運動の英雄として支持されている。

十九歳の青年に心臓を貫かれた第十九代内閣総理大臣

原敬暗殺事件（1921年）

明治から大正時代にかけての日本の総理大臣を見ると、初代の伊藤博文からはじまって、黒田清隆《くろだきよたか》、山縣有朋《やまがたありとも》、松方正義《まつかたまさよし》、大隈重信《おおくましげのぶ》、桂太郎《かつらたろう》、西園寺公望《さいおんじきんもち》、山本権兵衛、寺内正毅《てらうちまさたけ》と、いずれも藩閥《はんばつ》出身で爵位《しゃくい》を持つ華族《かぞく》の名が並んでいる。

そうしたなか、自らは爵位を持つことなく政党内閣を実現したのが、第十九代内閣総理大臣となった原敬《はらたかし》だ。

日本初の「平民宰相」への期待

岩手県出身で平民であった原は、新聞記者から官僚《かんりょう》に転身。外務省、農商務省勤務を経て伊藤博文の結党した立憲政友会《りっけんせいゆうかい》に参加、政治家となった。その後は内務大臣、逓信《ていしん》大臣などを数度にわたって務め、一九一八年に自らの原内閣を組閣した。

ときはちょうど大正デモクラシーのさなかであった。国民は藩閥の影響が少ない本格的な政党内閣に期待し、原を「平民宰相《へいみんさいしょう》」と呼んだ。

首相となった原は、経済、教育、交通、国防、外交などでさまざまな政策を打ち出した。

いっぽうで強いリーダーシップを持っていたために、その姿勢は独裁的と批判されることもあった。ことに世の人々が望んでいた普通選挙の実施を時期尚早《しょうそう》と先送りにしたことは不評を買った。

首相になって三年が経った一九二一年十一月四日、原は関西で開かれる立憲政友会の大会に出席するために芝公園の自宅から東京駅へ向かった。そして**駅の乗車口（現在の丸の内南口）へと移動中、突然、群衆《ぐんしゅう》の中から飛び出してきた青年に刃物で右胸を突かれる**。衆人環視《しゅうじんかんし》のなかでの凶行であった。

青年はすぐに周囲にいた者たちに取り押さえられた。原は駅長室に運び込まれて応急処置を施されたが、そのときにはすでに絶命していた。青年の突き刺した短刀は、右肺から心臓を貫いていた。

疑問の残る犯人の足跡と謎の斬奸状

捕まった犯人は、山手線の大塚駅で転轍手《てんてつしゅ》（ポイント作業員）をしていた中岡艮一《なかおかこんいち》という十九歳の青年であった。

本人の供述によれば、原内閣の政策に不満があって暗殺を企《くわだ》てたということであった。また、**尊敬する上司が「いまの日本には腹を切る覚悟の者がいない」と言ったことで、「腹」を「原」と勘違いして「自分がやろう」と決意した**ともいう。他にも、この一ヶ月ほど前に起きた安田財閥の安田善次郎《ぜんじろう》の暗殺事件にも触発《しょくはつ》されていたという説もある。いささか浅慮《せんりょ》の若者が情熱的に行動したという図であった。

中岡に対する判決は無期懲役《ちょうえき》。総理大臣を刺殺《しさつ》したのだから当たり前といえる刑だった。しかし、実際には中岡は恩赦《おんしゃ》を得てわずか十三年で出獄している。恩赦を受けたとはいえ、いくらなんでも早すぎるのではなかろうか。

しかも、その後は陸軍に入り、関東軍の第四軍管区司令部で任務についている。戦後も生き延び、一九八〇年に七十七歳で没している。

こうしたことから、中岡の背後には原を敵とみなす右翼《うよく》勢力などが存在したのではないかと言われている。

暗殺自体も中岡一人の手によるものなのか、それとも黒幕がいたのか。真相はいまだに定かではない。

ひとつ明らかになっているのは、中岡が用意したといわれる斬奸状《ざんかんじょう》である。そこに自らを憂国《ゆうこく》の士と記した中岡であるが、なぜかここでは「艮一」という名が「良一」になっている。「艮」と「良」はよく似ているが、よもや本人が自分の名を間違えて書くとは思えない。

では、斬奸状は誰が書いたのか。

裁判ではあっさりと無期懲役が決まり、犯行動機や背後関係などについてはほぼ本人の供述のままに処理された。これも不思議といえば不思議である。

原首相の暗殺は立憲政友会にとって打撃となった。リーダーを失った立憲政友会はその二年後に分裂した。

鉄道事故に見せかけられた不運の初代国鉄総裁

下山事件（１９４９年）

一九四九年七月六日未明、国鉄（現在のＪＲ）常磐《じょうばん》線の北千住《きたせんじゅ》駅～綾瀬《あやせ》駅間の線路上で**バラバラになった人体が発見された。**常磐線と東武伊勢崎《いせさき》線が交差するガード下近く、約五十メートルにわたって散乱していた遺体は、同年六月一日に運輸省鉄道総局から独立して発足したばかりの日本国有鉄道の初代総裁《そうさい》・下山定則《しもやまさだのり》のものであった。

なぜ、国鉄のトップが轢死体に？

国鉄のトップである下山がなぜ轢死《れきし》体《たい》という凄惨《せいさん》な姿で見つかったのか。現場検証の結果、下山を轢《ひ》いたのは同日の午前〇時二十分頃にここを通過した貨物列車だということがわかった。列車を牽引《けんいん》していたのはいまも鉄道ファンに人気の高いＤ51形蒸気機関車だった。

これは事故なのか、事件なのか。すなわち自殺なのか、他殺なのか。人々の関心はそこに集まった。

同日午後の死体解剖の結果、下山の遺体は「死後轢断《れきだん》」であると判定された。この報道に世間は騒然《そうぜん》となった。「死後轢断」ということは、下山総裁は**列車に轢かれる前に死んでいた**ということになる。線路上で自殺して列車に轢かれた可能性もあるが、こうなるとやはり取り沙汰《ざた》されるのは暗殺説であった。

事件前日の下山の行動が謎に拍車をかけた。

七月五日の朝、下山は大田区内の自宅からいつものように公用車で国鉄本社に出かけたが、途中、東京駅付近で運転手に「日本橋の三越に行ってくれ」と指示した。しかし、朝のため三越はまだ開店しておらず、神田駅に向かうも、ここでは車から降りず、そうかと思うと自分が貸金庫を利用していた千代田銀行（現在の三菱ＵＦＪ銀行）本店に行った。

二十分ほど車を待たせた下山は、運転手にふたたび「三越へ」と告げ、今度は開いていた同店の南口から店内に入り、そのまま消息《しょうそく》を絶った。

国鉄本社では警察に捜索を依頼したが、見つかったときにはすでにバラバラ死体となっていた。

自殺か他殺か、世論は二つに割れた。新聞社や捜査にあたる警察までが割れた。警視庁の捜査一課は自殺と見なし、捜査二課は他殺を疑った。

そうなったのも、下山には自殺と他殺、両方の動機があったからだ。

暗殺説が飛び交うなかでの謎の迷宮入り

運輸次官から初代国鉄総裁へ――はた目にはエリート街道を邁進《まいしん》しているように見えた下山だが、実は本人を取り巻く環境はたいへん厳しい状況にあった。

当時、国鉄はＧＨＱ（連合国軍最高司令官総司令部）から六十万人以上いた職員のうち十万人を解雇するよう命じられていた。**下山はこの大量リストラを実行せねばならない立場にあった。**

国鉄の労組は当然のごとくこれに反対した。ＧＨＱと労組の板挟《いたばさ》みとなった下山の心労は想像に難《かた》くない。自殺説を唱える者たちはそこを主張した。いっぽう他殺説派は労組を動かす共産主義勢力の犯行を疑った。事実、その後の現場検証や下山の足取りを追った捜査では、暗殺を裏付ける証拠や目撃証言がいくつも出てきた。

五日の朝、どうやら下山は誰かと会うために一人になって姿を消したらしい。服についていた〝ぬか油〟は鉄道では使用しないものだった。つまり下山はぬか油を使う場所で殺害された可能性が高かった。

事件は、しかしあっけなく終了してしまう。十二月には自殺説を考えていた捜査一課が捜査を打ち切り。翌年三月には他殺説を念頭に捜査を進めていた捜査二課も課員たちが強制的に異動を命じられ、捜査続行を断念することとなった。この結果、事件は未解決事件として扱われることとなった。

あえて真相を究明しなかった背景には、政治的な思惑があったと考えられている。警察か、GHQか、なにがしかの力を持つ者が事件を迷宮入りさせたというのである。このため、他殺説のなかにはGHQによる陰謀説も含まれるようになった。

この年の夏は、無人の列車が暴走して死者六人を出した「**三鷹《みたか》事件**」、何者かによってレールが外されたために列車が脱線し死者三人が出た「**松川事件**」など、ほかにも不可解な事件が発生した。これらの事件は下山事件と合わせて「**国鉄三大ミステリー事件**」と呼ばれ、現在も語り継がれている。

「ホシ」は元妻？ 護衛役に刺殺されたマケドニア王

ピリッポス二世暗殺事件（紀元前336年）

紀元前に栄《さか》えた古代ギリシアでは「ポリス」と呼ばれる都市国家がいくつも存在し、お互いに競いあっていた。そのなかで異彩を放っていたのが紀元前七世紀頃に建国されたマケドニア王国だった。

アレクサンドロス大王の父として

ピリッポス二世は紀元前三八二年、そのマケドニアの王であるアミュンタス三世の三男として生まれた。

当時のマケドニアは先進的で強国の多いギリシアにおいて難しい舵《かじ》取りを迫られており、そのため十代の頃のピリッポスは都市国家のひとつであるテーバイを治めるエパメイノンダスのもとで人質《ひとじち》生活を送っていた。優れた戦術家であったエパメイノンダスは利発なピリッポスをかわいがり、文武における英才教育を施した。

ピリッポスは、兄が戦いで命を落としたことを受けてマケドニアに帰国し、兄の息子アミュンタス四世の摂政《せっしょう》となったが、甥《おい》はまだ幼く、周囲に懇願《こんがん》され自らが王に即位する。その後、テーバイで学んだ戦術をさっそくマケドニア軍に取り入れた。

とくに効力を発揮したのは重装備の歩兵が密集隊形をとるファランクスだった。紀元前三五八年、**軍制改革を終えたピリッポスはイリュリアとの戦いに勝利して兄の仇《かたき》を討つ**。

その後はギリシアに出兵を繰り返しアテナイ、テーバイの連合軍を撃破し、マケドニアを中心とするコリントス同盟（スパルタを除く諸ポリスからなる同盟）を築いた。この間、ピリッポスは哲学者のアリストテレスをマケドニアに招聘《しょうへい》し、息子アレクサンドロスの教育係とした。

まな娘の結婚祝いのさなかに……

ピリッポスの次の目標はペルシアの征服であった。だが紀元前三三六年、娘のクレオパトラとエピロス王であるアレクサンドロス一世との結婚を祝う宴《うたげ》の最中、護衛役だったパウサニアスに刺殺されてしまう。

突然の王の死。それはかのアレクサンドロス大王登場の序曲であった。二十歳で父の跡を継いだアレクサンドロス三世は、マケドニアの混乱を突いて立ち上がった敵を打ち破ると東方遠征を開始し、史上稀《まれ》に見る大帝国を築くこととなる。

ピリッポス二世暗殺は誰が企てたのか。真実はいまだ明らかになっていない。

疑惑の目が向けられているのは、不仲のため離縁《りえん》された第四夫人オリュンピアスだ。アレクサンドロス一世の姉である彼女は、アレクサンドロス三世の母でもある。**憎い元夫を暗殺し息子を王位に就《つ》けたい。**そんな思いを抱いていても不思議ではないだろう。

その陰謀は離縁された第四夫人から？

識者《しきしゃ》のなかには、アレクサンドロス三世自身もその陰謀に加担していたのではないかと唱えている人もいる。

祝日となって讃えられ続ける黒人解放運動指導者の死

キング牧師暗殺事件（１９６８年）

アメリカで奴隷《どれい》制度が廃止されたのは一八六三年のことだった。しかし、制度こそなくなったものの、その後も有色人種、とりわけ黒人に対する人種差別が消えることはなかった。公共施設や公共交通では、白人と黒人で使う座席や場所が区別され、黒人は常に不利益を被《こうむ》る側にあった。

そうした状況が大きく変わったのは第二次世界大戦終了後。**黒人解放運動は広がりを見せ、一九六四年には人種差別を禁止した公民権法が制定**され、少なくとも法律の上では人種差別は撤廃されることとなる。その中心にいたのが、公民権運動の指導者であったキング牧師ことマーティン・ルーサー・キング・ジュニアだ。

「自分たちの行動が国を動かした！」

一九二九年、アトランタで牧師の息子に生まれた彼は、大学を卒業すると自らもバプティスト派の牧師となった。その後に進んだ大学院ではマハトマ・ガンジーの思想に触れ、大きな影響を受けたという。

キング牧師の名が世間に知れわたったのは、一九五五年十二月に起きたローザ・パークス逮捕事件だった。

このときキング牧師は二十六歳で、アラバマ州モンゴメリーの教会で牧師をしていた。そこへ黒人女性のローザ・パークスが逮捕されたというニュースが飛び込んできた。彼女は勤めていたデパートからの帰りに市営の路線バスに乗ったところ、白人の運転手から不当に席を白人客に譲《ゆず》れと命じられ、拒否したところ警察を呼ばれて逮捕されたのだった。

この知らせに、キング牧師は町中の黒人にバスに乗ることをボイコットしようと呼びかけた。一年以上かけたこの抗議《こうぎ》運動で、モンゴメリー市のバス事業は苦しい経営を強《し》いられることとなった。運動は功《こう》を奏《そう》し、一九五六年十一月十三日に連邦最高裁判所がモンゴメリーの人種隔離政策は違憲であるという判決を下した。

自分たちの行動が国を変えた。これを契機《けいき》に、全米に公民権運動が広がっていった。

キング牧師は南部キリスト教指導者会議を設立し、公民権運動の指導者として運動の先頭に立った。

ガンジーに影響を受けていたキング牧師の運動方針は非暴力主義と融和主義だった。無抵抗のキング牧師たちが当局の暴力的な取り締まりに遭うと、白人を含むアメリカの世論は公民権運動を支持するようになっていった。そしてついにジョンソン大統領のもとで公民権法が施行されたのだった。

ケネディ、マルコムX、そして……

一九六四年、キング牧師は**史上最年少の若さでノーベル平和賞を受賞した**。そのいっぽうで、アメリカ社会には依然として根強い人種差別が残っていた。

このためキング牧師の非暴力主義、白人との融和主義に飽き足らない人々は、過激な行動をとるようになっていく。

彼らを率いていたのが、同時代の運動家として知られる**マルコムX**だった。しかし、過激派のマルコムXは一九六五年に暗殺されてしまう。

このマルコムXの暗殺や二年前に起こっていたケネディ大統領の暗殺は、キング牧師自身にも犠牲となる覚悟と予感を与えていたと想像される。

そして一九六八年四月四日、テネシー州のメンフィスに遊説に行ったキング牧師は、モーテルのバルコニーに出たところをジェームズ・アール・レイという白人男性に銃撃された。喉《のど》に命中した弾丸はキング牧師の命を奪った。まだ三十九歳の若さだった。

レイはその後、偽造パスポートを使ってカナダからヨーロッパに逃亡したが、ロンドンで逮捕された。

暗殺はレイの単独犯と結論づけられたものの、偽造パスポートの入手先や逃亡資金については謎が残された。**レイ自身は自供の中で「自分は陰謀に巻き込まれただけで犯人は他にいる」と語っている。**禁錮《きんこ》九十九年の刑を受けた彼は、一九九八年に刑務所内で病死した。

非暴力で社会を変えたキング牧師であったが、晩年はベトナム戦争に反対したことで政府や戦争支持者からは邪魔な存在として煙《けむ》たがられていたともいう。だとすれば、レイの供述もただの罪逃れだけではないかもしれない。

現在、アメリカではキング牧師の誕生日が一月十五日だったことから、毎年一月の第三月曜日を祝日（キング牧師の日）としている。

謎の溺死体で発見されたドイツ・バイエルン王

ルートヴィヒ二世暗殺疑惑（１８８６年）

ドイツ・バイエルン州の南部にあるシュタルンベルク湖は、周囲を林に囲まれた静かな湖だ。

一八八六年の六月、その湖で一人の貴人が水死した。作曲家・ワーグナーの作品をこよなく愛したことでも知られるバイエルン王・ルートヴィヒ二世である。

王は身長約百九十センチメートルと長身で、水泳は得意だったという。年齢は四十歳。遺体が見つかった場所は浅瀬《あさせ》で、すぐ横には医師のフォン・グッデンの遺体もあった。

現在、二人が死んだとされる場所の湖面には十字架が立っている。

王と医師はなぜ死んだのだろうか。実は、その原因はいまだ不明で、暗殺説も唱えられているのである。

王に不向きな「夢見がちな青年」

ルートヴィヒ二世がバイエルン王に即位したのは一八六四年、まだ十九歳のときだった。美貌《びぼう》の持ち主であったルートヴィヒ二世は、外見こそ王にふさわしい気品の持ち主であったが、内面は君主にはとても向いているとはいえなかった。

のびのびと暮らせていたのは幼少期だけで、九歳以降は厳格な家庭教師によって厳しく躾《しつ》けられ、それが仇《あだ》となってゲルマン神話や中世の騎士物語に耽溺《たんでき》する夢見がちな少年となってしまった。

ワーグナーの作品を知ってからはその世界に憧《あこが》れ、王になるや即座にワーグナーその人をバイエルンに招聘するといったありさまで、とても王の責務に耐えられるような人間ではなかった。

一八六六年に普墺《ふおう》戦争が始まるや、バイエルンはオーストリア側についてビスマルク率いるプロイセンと戦うこととなる。

ビスマルクと親交のあったルートヴィヒは内心で戦争に反対しつつ、議会の要求する動員令にサインをすることとなった。この頃から**ルートヴィヒは王の仕事に嫌気を**

感じ、夢の世界に生きるようになっていく。

なかでものめりこんだのは築城であった。現在も観光地として人気のあるノイシュヴァンシュタイン城やリンダーホーフ城など、メルヘンチックな美しい城を築いては自分の憧れる物語世界をこの世に出現させようとした。

夢想家のルートヴィヒは、当然、結婚にも不向きだった。女性の持つ処女性に憧れを抱くいっぽうで、現実の女性を近づけようとはしなかった。唯一、心を許した女性は親族の一人であり、オーストリア皇后であったエリーザベトで、一時は彼女の妹との縁談があったが、結局はルートヴィヒ自身が煮《に》えきらず破談となった。

なぜ、まだ水の冷たい湖に？

金のかかる築城とワーグナーに夢中で王の責任を果たそうとしないルートヴィヒは、次第にバイエルン政府から見放されていく。

誰もいない部屋であたかも客人とでも話すように独り言を呟《つぶや》いていたり、夜中に橇《そり》を走らせていたりと奇行が目立つようになると、政府はルートヴィヒを精神異常と認め、廃位《はいい》することを決める。王の仕事は叔父《おじ》のルイトポルトが摂政となることで肩代わりし、ルートヴィヒはシュタルンベルク湖の畔《ほとり》に建つベルク城へと送られてしまう。

ベルク城で半ば軟禁状態となったルートヴィヒは、精神科医のグッデンと一緒ならば周辺の散歩くらいは許された。悲劇はその散歩中に起きた。

二人の遺体のうち、グッデンの遺体には首をしめられたと思わしきあとがあったという。ということは、ルートヴィヒが医師を殺害したという可能性が出てくる。では、ルートヴィヒ自身の死因はなにか。

事故説、自殺説、逃亡失敗説など、説はいくつもあるが、真実はいまだに謎のままである。そこにはもちろん、わずかながらだが暗殺の可能性もある。ひとつだけ言えるのは、六月とはいえ湖は泳ぐにはまだ適さぬような水温だったということくらいだ。

ルートヴィヒの死後、王位は弟のオットーが継いだが、オットーもまた精神に異常があるといわれ、実際の仕事は摂政である叔父が引き受けた。バイエルン王国自体は、第一次世界大戦に敗戦した一九一八年に起きたドイツ革命でルイトポルトの息子である国王ルートヴィヒ三世が退位したことで消滅した。

第2章

〝権謀術数〟にまみれた男たちの末路

――これが「政争」の最終形なのか

鎌倉最大のミステリー 三代将軍を狙わせたのは誰だ

源実朝暗殺事件（1219年）

鎌倉幕府を樹立した源氏《げんじ》だが、その正統は暗殺（疑惑を含む）によってわずか三代で絶え、北条氏《ほうじょう》が実権を握った。日本に限らず世界を見ても、権力者というのは常に暗殺の危険にさらされている。

なかでも鎌倉幕府の三人の将軍は、不運なことに全員がその危難に遭ったといっていいだろう。

頼朝、頼家、実朝……頓死が続いた三人の征夷大将軍

まず初代の頼朝。その死因は落馬が原因とされているが、落馬したことは事実だとしても、死因そのものについてはよくわかっていない。平家を打倒し、幕府を開くことに成功した頼朝であったが、朝廷から恨まれて暗殺された。あるいは、頼朝の政《まつりごと》に不満を抱く御家人《ごけにん》の誰かが刺客《しかく》を送り込んだ。そんな頼朝暗殺説は現在もくすぶって

いる。

頼朝の死後、跡を継いだのが長男の源頼家《よりいえ》である。しかし頼家は、母・政子《まさこ》の北条家よりも自分の妻の実家である比企《ひき》氏を大切にした。これに危機感を覚えた政子の父・北条時政《ときまさ》は、頼家が病気になった隙《すき》を突いて比企氏を討滅《とうめつ》した。頼家は時政によって出家させられ、伊豆の修禅寺《しゅぜんじ》に幽閉《ゆうへい》された。そして二十一歳の若さで暗殺された。

頼家にかわって三代将軍となったのが、十歳年下の弟・源実朝《さねとも》である。将軍となったときはまだ十二歳。北条家にとっても、それを支える他の御家人たちにとっても幼い将軍はちょうどいい傀儡《くぐつ》といえた。だが、実朝もまた関東武士の目から見ると、意にそぐわない存在となっていった。

実朝は**武家の旗頭《はたがしら》でありながら、和歌や都の文化を好み、朝廷に傾倒《けいとう》した**。そればかりか、朝廷から与えられる官位を喜んだ。これは独立した政権を目指す幕府の御家人たちの望むところではなかった。

その実朝の命を露骨《ろこつ》に狙う者が現れた。修禅寺で殺された頼家の息子である公暁《くぎょう》である。僧侶《そうりょ》である公暁は、鶴岡八幡宮《つるがおかはちまんぐう》の別当《べっとう》の役にあった。

その公暁に、いつのことか、父・頼家が殺されたのは実朝の命によるものだったと伝えた者がいたという。それを知った公暁は、ひそかに実朝を「父の仇」として憎み、その命を奪わんと暗殺を企んだのだった。

暗殺者・公暁はそそのかされた？

一二一九年、実朝は鶴岡八幡宮にて右大臣就任の拝賀式《はいがしき》に臨《のぞ》んだ。式が終わり、本殿を出て階段を下りようとしたとき、**階段横の大銀杏《いちょう》の陰に隠れていた公暁が太刀《たち》を抜いて実朝に斬りつけた**。不意を突かれた実朝は立ち向かうこともできずに、御剣役《ぎょけんやく》（太刀持ち）であった源仲章《なかあきら》ともども斬殺されてしまった。

「父の仇を討ったり！」

実朝の首をとった公暁は、そのまま有力御家人である三浦義村《よしむら》の館に逃げ込んだ。義村の妻は公暁の乳母《めのと》であった。公暁としては三浦一族が味方につけば、あるいは自分が将軍の座に就けるかもしれぬと考えていたのかもしれない。となると、公暁に「頼家の仇は実朝」と吹き込んだのは、三浦義村であった可能性もある。

しかし、義村は公暁を助けなかった。それどころか、家臣に命じ、挙兵を依頼する公暁を謀反《むほん》の咎《とが》で殺してしまったのである。そしてその首を北条義時《よしとき》のもとに届けた。

結局のところ、誰が公暁をそそのかしたのか、その真犯人は解明されていない。可能性が高いのは三浦義村と北条義時の共謀だ。

この頃、鎌倉幕府は有力御家人たちが合議制をとっていた。彼らにとって朝廷に憧《しょう》憬《けい》を抱く実朝は邪魔な存在だった。そればかりか、もはや源氏の嫡流《ちゃくりゅう》とて不要な存在となっていただろう。そこで公暁をそそのかし、実朝を暗殺させ、用済みとなった公暁その人も葬《ほうむ》り去ったというのである。

拝賀式の日、**本来の御剣役は北条義時であったが、義時は急に腹痛を訴えてその役を源仲章にかわってもらった**という。これはその直後に起きる悲劇を義時が知っていたからといえる。

他にも実朝暗殺には、朝廷の復権を夢見る後鳥羽上皇《ごとばじょうこう》の陰謀説、将軍職を狙う公暁の単独犯行説など、いくつかの説がある。

ともあれ、実朝の死によって源氏の政権はあっけなく瓦解《がかい》。執権・北条氏の時代が始まり、やがて承久の乱が勃発。武家による全国支配確立へと事態は動いていく。源実朝暗殺事件がすべてのきっかけとなったのである。

「ブルータス、お前もか！」と叫んだ独裁者

カエサル暗殺事件（紀元前44年）

紀元前七五三年の建国から四七六年まで、千二百年以上続いた古代ローマ。その歴史は初期の王政期と紀元前五〇九年から紀元前二七年までの共和政期、その後の帝政期の三つに大きく分かれている。

共和政期はその名のとおり、元老院《げんろういん》をはじめとする衆議制をとっており、民主的な国家運営がされていた。だが、そのなかにいて一人独裁政治を敷いた男がいた。それがユリウス・カエサルだ。

古代ローマを勝ち抜いた独裁官

「賽《さい》は投げられた」や「来た、見た、勝った」、「ブルータス、お前もか」などの名言録でも有名なカエサルは、紀元前一〇〇年頃、貴族の家に生まれた。同じ名を持つ父は、属州の総督《そうとく》などを任じる政治家だった。

カエサルの青年時代、ローマには閥族《ばつぞく》派と民衆派という二つの派閥《はばつ》があった。民衆派であるカエサルは、閥族派の独裁官であるスラの存命中は中央から離れていたが、その死後は軍団司令官や財務官、按察官《あんさつかん》（造営官）、大神官と重要なポストに就き、頭角を現していく。

前六一年にはスペインの属州総督となり、政治と軍事の両面で力を得ると、国の有力者であるポンペイウスやクラッススと結んで執政官となり、元老院に対抗した三頭政治をはじめた。

そして、前五八年にガリア（現在のフランスからドイツにかけての地域）の地方長官となるや、異民族を制圧して全土を平定《へいてい》した。

ガリア戦争で強大な力を持つに至ったカエサルは、ポンペイウスや元老院と対立することになり、共和政ローマは内戦の時代を迎える。カエサルはこれに勝利し、ついに独裁官となる。

切りつけられた体には二十三箇所もの傷が

独裁官、現在でいうと大統領のような立場となったカエサルは、政治や軍事、国庫に対する絶大な権限を持ついっぽう、サーカスや剣闘競技などの催《もよお》しを盛んに開催しては民衆の支持を集めた。

しかしながら、権力が一人に集中しすぎてしまうその政治体制は、もはや共和政や民衆派の目指すものとは違う専制政治といえるものとなっていた。まわりの者たちの中にも、カエサルが王政を復活させようとしているのではないかという疑念を持つ者が多くいた。

また、カエサルは大勢の者を重要なポストに採用したが、その**独善的な態度や振る舞いは、採用されなかった大勢の人間の恨みを買っていた。**

紀元前四四年三月十五日、カエサルは元老院会議に列するため、ポンペイウス劇場の脇の回廊を歩いていた。そこにいきなり襲いかかってきたのは、政務官のカッシウスやブルータスら二十人を超える男たちだった。

驚いたカエサルがこのときに放った言葉、それが前述の「ブルータス、お前もか」である。「お前もか」の一言は、**カエサルがブルータスを寵愛《ちょうあい》していた証であり、同時にそれ以外にもかわいがっていた者たちが暗殺者たちのなかにいた**ことを示している。

かわいがっていた部下たちにめった刺しにされるカエサル……

だが、暗殺者たちのカエサルに対する思いは違った。

カエサルは、次々に襲いかかる男たちによって全身を刺され事切れた。その傷は、全部でなんと二十三箇所もあったというから、よほど憎悪《ぞうお》の対象となっていたに違いない。

独裁者から政治を取り戻そうと決行された暗殺劇。しかし、その後も十年にわたり、一部の権力者による独裁が続き、ローマから専制政治がなくなることはなかった。やがてローマは専制君主が支配する帝政《ていせい》期を迎え、カエサルの名は「皇帝」の称号となっていくのである。

古代エジプト最後の偉大な王も第二夫人の企みに……

ラムセス三世暗殺事件（紀元前１１５３年頃）

紀元前三一〇〇年頃から前三〇年頃まで、約三千年間続いた古代エジプト王朝。長い歴史の間、三十以上あった王朝には約二百五十人のファラオ（王）がいた。

よく知られているのは、ギザの大ピラミッドを建てたクフ、黄金のマスクがシンボルのツタンカーメンなど。

大勢いるファラオのなかには、暗殺されてしまった者もいる。古代エジプト王朝で偉大な力を持った最後の王といわれるラムセス三世がその一人だ。

内政にも外交（戦争）にも長けたラムセス三世

ラムセス三世は、第十九代王朝崩壊《ほうかい》後、内乱状態になった国を統一した父のセトナクト王のあとを受け、第二十王朝二代目のファラオとなった。当時、王朝はまだ成立してほんの二年あまりで、不安定な状態にあった。外にはエジプトに攻め入ろうとする「海の民」やリビア人といった外敵がおり、そのためラムセス三世は、即位直後から内政に力を注ぎながら、いっぽうでは侵入してくる敵との戦いを余儀《よぎ》なくされた。

血縁ではなかった（血縁とする説も有り）が、偉大な太陽王ラムセス二世を信奉《しんぽう》するラムセス三世には軍略の才があった。海の民との戦いでは、不利といわれていた水上戦で勝利し、リビア人との戦争では、二度の大きな会戦に快勝した。以後、彼の王朝は、その末期に有史最古といわれる労働者のストライキという不名誉な出来事もあったものの、平和な時代を迎えることとなる。

当時、ラムセス三世は国内各地に神殿を建てるなどして、その声望を高めた。ただ信心《しんじん》がすぎたのか、**神官たちにあまりに多くの宝物や穀物、家畜などを寄進《きしん》していたため、国家の財政は逼迫《ひっぱく》していた**ともいわれる。それでも平和をもたらした功績は大きく、今日の評価につながっている。

王のミイラに残るなまなましい痕跡

三十年以上続いたラムセス三世の治世。それはあっけなく終わる。王族や文官、軍人などを招いていた宴の途中、王は暗殺されてしまったのだ。

首謀者《しゅぼうしゃ》は第二夫人であるティイだった。彼女は息子のペンタウアーに王位を継承させたかった。だが、ラムセス三世は別の息子にその座を継がせるつもりだった。そこでティイは侍従長《じじゅうちょう》や執事など数十人の協力者を集め、夫を殺害させたのである。

一八八一年に発見されたラムセス三世のミイラには、暗殺の痕跡《こんせき》が残っている。「蛇《へび》に噛まれた」「毒を盛られた」といくつか説のあったその死因だが、近年のCTスキャンによって首に深い切り傷があることが判明した。偉大な王は、暗殺者の刃《やいば》によって喉を掻《か》き斬られたのである。

しかし、王の暗殺には成功したものの企みは不首尾《ふしゅび》に終わり、事件に関与した者たちは死刑、もしくは強要されての自殺という処分となった。

ペンタウアーも例外ではなかった。カイロのエジプト考古学博物館には苦悶した表情が特徴の「叫ぶミイラ」というミイラが保存されているが、現在ではDNA鑑定の結果、これがペンタウアーであったことが証明されている。

ラムセス三世の死後、王朝は力を失い、その勢力は縮小した。以後の王朝は分裂した勢力の一つという存在になっていく。それでも古代エジプト王朝は千年以上続き、やがて古代ローマの支配下に置かれることとなるのである。

妻にクーデターを起こされた不遇のロシア皇帝

ピョートル三世暗殺事件（1762年）

外国からの養子が国を継ぐ――近世ヨーロッパではそうしたことがよくあった。十八世紀、ロマノフ朝第七代皇帝であったピョートル三世もそんな外国出身の君主《くんしゅ》だ。彼の皇帝即位前の名前は、カール・ペーター・ウルリヒ。出身は今のドイツ北部、神聖ローマ帝国に属するシュレースヴィヒ・ホルシュタイン公国であった。

ロシア語が話せないロシア皇帝

ペーターの父は、スウェーデン王の従兄弟《いとこ》であるホルシュタイン＝ゴットルプ公のカール・フリードリヒ。この父が早くに亡くなったため、ペーターはわずか十一歳でホルシュタイン＝ゴットルプ公となる。母はもっと早世《そうせい》で、ペーターを産んですぐに亡くなっていた。

両親の愛をろくに知らないからか、ペーターは**軍事にばかり関心を持つかなり変わ**

った少年だったという。

ペーターが十四歳になったある日、ロシアから女帝であるエリザヴェータの使いがやって来て、「叔母《おば》様はあなたを養子にしてロシア皇帝の座を継がせたいとお考えです」と言った。

実は、ペーターの母はエリザヴェータの姉であり、ロシアを発展させたピョートル大帝の娘だった。子のいない女帝は、ロシア皇帝の座を偉大な王の血を引く人間に譲りたいと考えていたのである。

こうして**ペーターは、否《いや》も応《おう》もなくロシアに連れて行かれ、ロシア風にピョートルと改名し、信仰する宗教もルター派からロシア正教へと改宗する**ことになった。

エリザヴェータはこの甥に、やはりドイツ貴族の娘であるゾフィーを連れてきて結婚させた。エカチェリーナと改名したゾフィーは、改宗は建前だけでドイツ語しか話そうとしない夫と違い、熱心にロシア語を学び、ロシア正教の敬虔《けいけん》な信者となった。

あいにくこの結婚は失敗で、夫婦の仲は悪かった。ゾフィーは幼稚な性格の夫に愛情を持てなかった。のちに彼女は子を産むが、これはロマノフ家の系譜に連なる愛人の男性＝セルゲイ・サルトゥイコフ伯爵の子だったという。

エリザヴェータは、エカチェリーナの産んだ子を愛人の子であると知りながら手元で育てた。実は彼女も甥の変人ぶりとロシア文化を拒《こば》むその態度に呆《あき》れ、この際ロマノフ家の血脈が保てればそれでいいと考えていた。その女帝が一七六二年に亡くなると、ペーターは**ろくにロシア語も話せぬまま皇帝に即位してピョートル三世となった。**

発表された死因のウラで

皇帝となったピョートル三世は意外なことに、政治的辣腕《らつわん》を振るいはじめる。それまで義務とされていた貴族の国家奉仕や評判の悪かった秘密警察を廃止したり、農奴《のうど》制《せい》を見直したり、信仰の自由を保証したり、重商主義をとるといった政策を次々と打ち出し国を発展させていった。

それだけならよかった。しかし、ピョートル三世は自らの立場を危うくする決断をしてしまう。

当時のロシアはフランスやハプスブルク家と同盟を結び、プロイセンを相手とした七年戦争を戦っていた。ロシア軍は優勢で、プロイセンの首都ベルリンへと迫っていた。が、ピョートル三世はこの戦争を独断でやめてしまう。

なぜならば、プロイセンを率いるフリードリヒ二世は、ピョートル三世にとって憧れの人物だったからである。

尊敬するフリードリヒ二世とは戦いたくない。そんな気持ちからピョートル三世はプロイセンに占領地《せんりょうち》を返還し、賠償金の請求すらしなかった。

この決定に、ロシア国内は騒然となった。エカチェリーナは「あの男に国を任せることはできません」と軍を動かし、クーデターを起こす。

ピョートル三世は拉致《らち》され、ロプシャ宮に監禁されたのである。そして一週間後、監視役のアルクセイ・オルロフ伯爵によって暗殺された。ときに一七六二年七月十七日、皇帝在位期間はたったの半年、まだ三十四歳という若さであった。

世間には「持病の痔《じ》が悪化して亡くなった」と発表されたが、信じる者は誰もいなかった。

その後、ロシア皇帝にはエカチェリーナが即位し、エカチェリーナ二世となった。女帝はさまざまな改革を行ないロシアの近代化を推進したが、外国の出身ということもあり、貴族の特権に触れるような改革はできなかった。貴族に気を遣ったその政策は特権階級の支持を受けたが、労働者階級の反発を招くこととなった。

日本史上初！臣下による天皇暗殺

崇峻天皇暗殺事件（592年）

天皇が臣下《しんか》に暗殺される――。長い歴史のなかでは、そんなあってはいけないことが起きてしまうことがある。

神をも恐れぬ所業《しょぎょう》、それをしてのけたのが蘇我馬子《そがのうまこ》だ。

そこにいた蘇我馬子

天皇の外戚《がいせき》である馬子は、父の蘇我稲目《いなめ》のあとを受けて大臣になると、仏教による立国を目指し、飛鳥寺《あすかでら》を建立《こんりゅう》するなど今日の日本の仏教文化の礎《いしずえ》を築いた。また、聖徳太子《しょうとくたいし》（厩戸皇子《うまやどのおうじ》）の才を見抜き、摂政時代には一歩譲る形でその政策に協力した。いずれにせよ、約半世紀にわたって権力の座にあったのだから、並みの政治家ではない。

そんな馬子の時代、蘇我氏にとって最大の敵であったのが物部《もののべ》氏だ。蘇我氏が仏教を取り入れようとしていたのに対し、物部氏は反仏教派であったため、激しく対立した。そして、両者の不仲は皇位継承問題にも及んだ。

馬子は、敏達《びんだつ》天皇、用明《ようめい》天皇、崇峻《すしゅん》天皇、推古《すいこ》天皇の四人の天皇に仕《つか》えた。用明天皇と崇峻天皇は馬子の甥、推古天皇は馬子の姪《めい》であり、敏達天皇はその推古天皇の夫であった。この血縁関係だけ見ても、馬子が権勢を振るうことができた理由がわかるというものだ。

物部氏との対立が顕在化《けんざいか》したのは用明天皇崩御《ほうぎょ》の折であった。このとき、物部氏の当主である物部守屋《もりや》は、自分に近かった穴穂部皇子《あなほべのみこ》を皇位に据《す》えようとした。しかし、**馬子は先手を打って皇子を暗殺し、その弟の崇峻天皇を即位させる。**

馬子から見れば、穴穂部皇子もまた蘇我氏の血が入った甥の一人であったが、邪魔となればさっさと殺害してしまうあたり、当時の馬子がいかに強権を持っていたかが窺《うかが》える。勢いに乗った馬子は物部氏討滅の兵を挙げ、激戦の末に守屋を葬った。

猪に向けた一言が命取りとなった悲劇の天皇

その後、馬子の強権は自らが擁立した崇峻天皇にも発動することとなる。

崇峻天皇から見れば馬子は後ろ盾《だて》となってくれる強い味方であったはずだが、いっぽうでは兄を殺した仇でもある。また、崇峻天皇は馬子が推進する仏教導入政策にも内心では反対していたらしいことが今日ではわかっている。

もとより自分が傀儡であることを知っていた崇峻天皇は、馬子に対しておもしろからぬ感情を抱いていたに違いない。

あるとき、そんな**崇峻天皇の鬱屈《うつくつ》した思いが言葉となって口から出た**。即位して五年ほど経った頃のことだ。崇峻天皇のもとに狩られたばかりの猪《いのしし》が献上された。天皇は持っていた小刀を猪の目に突き立てるとこう言った。

「いつの日かこの猪の首を刎《は》ねるがごとく憎き相手を討ちたいものだ」

その発言はほどなくして馬子の耳に入った。

「天皇は恩人であるこの私を嫌っているというのか。ならば……」

馬子に迷いはなかった。実のところ馬子の方にも崇峻天皇に対しては疑心があった。崇峻天皇はその妃《ひ》に蘇我氏ではなく有力豪族の大伴《おおとも》氏の女性を迎え入れていた。これは馬子にとっては脅威であり、蘇我氏への裏切り以外の何物でもなかった。

ぽろりとこぼれ落ちた戯言《たわごと》が、まさか馬子の耳に届いているとは知らない崇峻天皇は、宮廷《きゅうてい》行事の場であっけなく馬子の手の者に暗殺されてしまった。**天皇が臣下《しんか》によって命を奪われたのは、日本史上、後にも先にもこの一事しかない。**

大事件となったわけだが、馬子の権勢はそれすら凌《しの》いだ。国には何の乱れも生じず、馬子は次の天皇に日本初の女性天皇である推古天皇を奉じたのである。

ただし、推古天皇は叔父の専横《せんおう》を許さなかった。

天皇は、用明天皇の息子であった厩戸皇子を摂政の座に就かせ、その辣腕を発揮させた。馬子も皇子の力量には感服《かんぷく》した。しかしながら、強運という意味では馬子の方が上だった。

厩戸皇子が世を去ると、馬子はふたたび独裁政治を敷いた。そしてその権力は、子である蘇我蝦夷《えみし》、孫である蘇我入鹿《いるか》へと継承されていった。

豪族である蘇我氏が支配する世では、天皇の力は国中に行きわたらず、そのため各地で豪族たちが勢力を伸ばした。それが終わり、日本が律令制《りつりょうせい》による統治国家となるのは大化の改新を待たねばならない。

主君の嫉妬心で命を絶たれた傑物

太田道灌暗殺事件（１４８６年）

太田《おおた》道灌《どうかん》といえば、**江戸城**を築城した武将。

現在ではそれ以外のことはあまり知られていないが、実は道灌は、日本史上でも稀《まれ》に見る聡明《そうめい》かつ優秀な人物であった。

三つの家の勢力争い

道灌が生まれたのは、一四三二年のこと。実家の太田家は武蔵国河越《むさしのくにかわごえ》（現在の埼玉県川越市）に本拠を置く扇ケ谷《おうぎがやつ》上杉家の家宰《かさい》であり、道灌もまた父の跡を継いでその職を務めた。

少年期から青年期にかけては鎌倉五山や足利《あしかが》学校で修養し、鎌倉では「五山無双《むそう》の学者」と呼ばれるほど優秀であったという。

当時の関東は道灌の扇ケ谷上杉家、北関東の山内《やまのうち》上杉家、それに下総《しもうさ》に勢力を持つ古河公方《こがくぼう》の三家が争っていた。

道灌が家督《かとく》を継いだのは、二十八年間続いた「享徳《きょうとく》の乱」と呼ばれるこの争乱の最中であった。

三家を見ると、家格が高いのは鎌倉公方の流れを汲む古河公方。次が関東管領である山内上杉家だった。道灌の扇ケ谷上杉家は山内上杉家の分家にすぎなかった。

しかし、**道灌が合戦においても国政においてもその才を発揮したことで、気がつけば三者の立場は逆転**していた。道灌のもとで、扇谷上杉家は繁栄の時代を迎えたのである。

また、築城の名手である道灌は、利根川《とねがわ》の河口に近い場所に「日本一」とも評される江戸城を築きもした。現在も皇居として使用されている江戸城は、道灌がいなければ生まれなかったかもしれない。

「道灌さえいなければ」

道灌と比べると、主君の上杉定正《さだまさ》は愚《おろ》かであった。

評価の高い道灌に嫉妬心《しっとしん》を覚えた定正は、そのうち道灌が自分にとってかわるので

道灌なくして江戸城（現皇居）は生まれなかったが……

はないかと恐れた。定正は、扇ケ谷上杉家が世継ぎ問題に揺れたときに、道灌の後押しもあって当主となることができたにもかかわらず、その恩を忘れて己の保身に囚《とら》われたのである。

この定正の猜疑心《さいぎしん》を利用したのが、山内上杉家の当主である上杉顕定《あきさだ》であった。顕定は常々「道灌さえいなければ」と思っていた。そこで定正に「道灌は謀反を企んでいる」と伝えたのだった。競争相手の讒言《ざんげん》を、定正は信じてしまった。

気の毒なのは道灌である。

一四八六年、道灌は相模国糟屋《さがみのくにかすや》にある定正の館を訪ねた。

そこで風呂を勧められ、湯に浸《つ》かった。

その湯から出たとき、定正に道灌殺害を命じられた刺客が斬りつけてきたのである。

素っ裸《ぱだか》の道灌は凶刃《きょうじん》に反撃することもできず、ただこう叫ぶだけだった。

「当方《とうほう》滅亡！」

自分を殺すようでは扇ケ谷上杉家に未来はない。道灌はそう言いたかったに違いない。

事実、その言葉は的を射《い》ていた。

定正は、この七年後に落馬が原因で死亡（病死説も有り）。これには、道灌の亡霊によるものという伝説もあるという。

その後、扇ケ谷上杉家は台頭《たいとう》してきた北条早雲《そううん》によって勢力を削《そ》ぎ取られていく。

そして、半世紀後の河越夜戦《やせん》では当主の上杉朝定が討ち死にし、ついに滅亡のときを迎えたのだった。

若き日の織田信長が実行したヤバい計画

織田信行暗殺事件（1558年）

戦国の覇者である織田信長《おだのぶなが》には、十一人の男の兄弟がおり、そのうち十人が弟であった。彼らは兄・信長の天下布武《てんかふぶ》に力を尽くし、何人かは伊勢《いせ》長島《ながしま》の戦いや浅井《あざい》・朝倉《あさくら》との戦いで命を落としている。

自分よりもデキる弟の存在

大勢いた兄弟であったが、実は信長と同じく父・織田信秀《のぶひで》の嫡子《ちゃくし》であったのはその三男にあたる織田信行《のぶゆき》（信勝《のぶかつ》）ただ一人である。事実、信行は信秀が存命中、信長とともにその補佐の任に当たっていた。

信秀としては、織田家の跡取りは第一候補に信長、第二候補に信行と考えていたのだろう。だからこそ、隣国・美濃《みの》の国主である斎藤道三《さいとうどうさん》の娘を信長に娶《めと》らせていたのである。

若い頃の信長がその奇行ぶりから「尾張《おわり》のうつけ」と呼ばれていたことはよく知られている。だが、その信長の器量を父の信秀は認めていた。斎藤道三もまた信長を高く評価していた。

ところが、当の織田家中はといえば違った。**家臣たちの多くは信長を「うつけ」とみなし、聡明だった二歳下の信行に期待を寄せていた。**信行自身は兄をどう思っていたか定かではないものの、そんな家臣たちの心の機微《きび》を感じ取っていたに違いない。

一五五二年に、父・信秀が世を去った。信秀は死に至るまで、織田家の跡取りを決めていなかった。そのため、織田家は信長派と信行派の二つに分かれることとなったのだ。

そして信秀の死から四年、一五五六年になると、信長の後ろ盾となっていた斎藤道三も死んでしまう。すると信行を推す一派は、林秀貞《はやしひでさだ》、林美作守《みまさかのかみ》、柴田《しばた》勝家《かついえ》らが中心となって打倒信長の兵を挙げた。信行もこれに呼応《こおう》し、信長の直轄《ちょっかつ》領を奪い、そこに砦《とりで》を築いた。

信行の挙兵に信長も素早く反応した。両軍は稲生《いのう》（現在の名古屋市）で衝突する。

林、柴田率いる信行勢千七百に対し、信長の手勢はわずか七百。数の上では信長に勝ち目はない。

しかし、信長軍は気魄《きはく》で敵を上回っていた。信行勢のなかには肝心の大将である信行その人がいなかった。対して信長勢には信長の姿があった。激戦のなか、本陣に迫ってきた柴田勝家の軍勢に、信長は叫んだ。

「このたわけどもが！」

怒声《どせい》に勝家の兵たちは動揺した。形成は逆転し、柴田勢と林勢はさんざんに蹴散らされて敗走した。

「病気になったフリ」作戦

戦後、兄弟の母である土田御前《どたごぜん》のとりなしで信行や林、柴田らは信長に詫《わ》びを入れ、許された。信長としても実の弟や重臣たちの命を奪いたくはなかったのだ。

だが、信行は織田家の別流《べつりゅう》である岩倉《いわくら》織田家と接触し、ひそかに信長への謀反を企てた。稲生の戦いでは敗れたが、今度こそはという思いがあったのだろう。

信行の企みはあっけなく崩壊した。信長の戦いぶりに、遅まきながらその力量を感じ取っていた柴田勝家が、信行の異心《いしん》を密告したのだった。

その日から信長は病気になったふりをした。勝家は信行に、信長の見舞いに行くことを勧めた。よもや勝家が自分を裏切っているとは知らぬ信行は、信長のいる清洲城《きよす》を訪れる。

ここで見舞うことで、兄は自分の忠誠を信じるだろう。相手を油断させるのに一芝《ひとしば》居打《い》つくらいはお手の物だった。が、芝居を打っていたのは信長の方だった。

信長は病気と偽って、見舞いに来た弟を家臣たちに襲わせ、誅殺《ちゅうさつ》したのである。自分が騙《だま》されていたと信行が知ったのは、その身に刃が突き刺さったときだった。

暗殺によって信行を排除した信長は、その後、尾張統一を成し遂げ、宿敵である今川、斎藤を倒し、一気に天下布武へと突き進んでいく。

不幸だった兄弟の争いは、彼らの父・信秀がもう少し長生きしていればなかったかもしれない。

信秀が正式に信長を後継に任命していれば、信行はそれに従った可能性がある。その場合、優秀な弟の助けによって、信長の天下取りはもっと早く進んでいたかもしれない。

政宗の命を狙った真犯人は誰だったのか

伊達小次郎暗殺事件（1590年）

戦国時代、奥州《おうしゅう》の覇者として知られた独眼竜《どくがんりゅう》こと伊達政宗《だてまさむね》。

十八歳で家督を継いだ政宗は、わずか四年で畠山《はたけやま》、佐竹《さたけ》、結城《ゆうき》、蘆名《あしな》などの周囲の有力大名《だいみょう》を圧倒し、勢力を拡大した。その手腕《しゅわん》は戦国大名のなかでも随一のものといっていい。

だが、政宗は生まれた時代が悪かった。もう少し早く生まれていれば天下すら窺うことができたかもしれないが、彼が宿敵・蘆名氏を滅ぼして奥州に君臨したとき、天下はそれよりもはるかに強大な力を持った豊臣秀吉《とよとみひでよし》のものとなっていた。

関白となった秀吉は惣無事令《そうぶじれい》を出し、全国の諸大名に抗争を禁じた。政宗が蘆名氏を倒した一五八九年の摺上原《すりあげはら》の戦いなどは、これに背《そむ》くものであった。

最初、好戦的で野心家の政宗は、関東の北条氏と組んで秀吉に対抗するつもりであったが、一五九〇年、秀吉が小田原で北条氏を討伐《とうばつ》することに決めると、迷い悩んだ末に参陣《さんじん》命令に従うことにする。
ここはとりあえず秀吉に味方しておいて、いつの日か天下取りの機会を狙おう。政宗にはそんな腹づもりもあったかもしれない。

「ケチのついている政宗」は切り捨てる？

小田原への出発前日のことである。母の御東《おひがし》の方《かた》から宴に招かれた政宗は、その席で倒れてしまう。あろうことか、**御東の方は政宗の膳に毒を盛って息子を殺そうとしたのだ。**

どうして実の母が息子の命を狙ったのか。よく言われているのは、御東の方は政宗よりも弟の小次郎をかわいがっており、伊達家を継がせようとしていた、というものだ。同時に、御東の方は当主である政宗を退《しりぞ》けることで伊達家を救おうとしたという説だ。

すでにこの時点で、惣無事令に違反していた政宗は秀吉から睨《にら》まれていた。そこへもって、答えを出すのに時間を要したため、遅参《ちさん》は確実である。伊達家はどんな処遇を受けたものか知れたものではない。

ならばケチのついている政宗を切り捨てて、まっさらな弟を当主にした方がまだいい。御東の方にはそんな心算《しんさん》があったと考えられる。あるいは、それを彼女に吹き込んだ者がいたかもしれない。いたとすれば、可能性が高いのは隣国・出羽を領する兄の最上義光《もがみよしあき》である。

最上と伊達は政略結婚を結ぶ仲だったが、緊張関係にあった。義光にとって妹の息子である政宗は警戒すべき相手であった。よって、この事件は義光の陰謀ではないかという説もある。

目には目を、暗殺には暗殺を

政宗は強運の持ち主だった。解毒剤《げどく》で回復すると、すぐに報復《ほうふく》行動に出た。しかしこのとき、御東の方はすでに最上家へと逃亡してしまっていた。

母に逃げられた政宗の目に、その背後にある元凶《げんきょう》として映っていたのは弟・小次郎であった。**暗殺をもくろんだのが誰であれ、小次郎さえいなければ**自分を殺して当主をすげ替えようなどという考えを持つ者はいないはずである。

二日後、政宗の命を受けた家臣が小次郎の胸を刺し貫いた。暗殺には暗殺で応えるといった方法で、政宗は当主の座を守った。

気の毒なのは実兄に殺された小次郎である。ひょっとすると政宗は母への当てつけで小次郎を殺したという可能性もある。

政宗の強運はまだ続いた。遅れに遅れて着陣した小田原で、秀吉は政宗を許した。パフォーマンス好きの秀吉は、政宗が死を覚悟して着ていた死装束《しにしょうぞく》を見て「おもしろいやつだ」と気に入ったのだ。

その後、政宗はなにかにつけ蠢動《しゅんどう》して豊臣政権から目をつけられ、そのたび領地を削られていったが、結局は生き残った。秀吉と同じ華やかな桃山文化の体現者であった政宗を、世の人々は「伊達者（洒落者《しゃれもの》）」と呼んだ。

政宗は関ヶ原《せきがはら》の戦い以後も、六十万石の大大名として家康《いえやす》、秀忠《ひでただ》、家光《いえみつ》の三人の徳川将軍を支えた。

もしあのとき、政宗が死んで小次郎が伊達家を継いでいたらどうなったかはわからない。しかし、少なくとも派手好きの政宗がいたからこそできた「伊達者」という言葉はこの世に存在しなかったはずである。

聖帝誕生の背景となった骨肉の争い　大山守皇子謀殺事件（３１０年頃）

仁徳天皇陵《にんとくてんのうりょう》（大山古墳《だいせんこふん》）の被葬者として今の世にも知られる仁徳天皇（第十六代天皇）は、歴代天皇の中でも「聖帝《せいてい》」と呼ばれる名君だ。

慈悲深い天皇誕生前になぜか三年間もの空位期間

あるとき、高台《たかだい》から国を見わたした仁徳天皇は、家々から炊事《すいじ》の煙が出ていないことを見て民の窮乏《きゅうぼう》を知り、租税や課役《かえき》を三年間免除した。また、河内平野一帯の治水《ちすい》工事にも力を入れ、国を豊かにすることに労を惜しまなかった。

いっぽうで、自らの住む宮は屋根が傷《いた》んで雨漏りがしても民の暮らしを優先して茅《かや》葺《ぶ》きをしなかったともいう。

そうした民衆に恵み深い政治が伝わる仁徳天皇だが、実はその即位までには三年の天皇空位期間を挟んでいた。

通常、天皇は前代《ぜんだい》が崩御もしくは退位すると速《すみ》やかに次の天皇が即位する。しかし、『日本書紀』をひも解くと、古代には数回の空位期間があったことがわかる。なかでも長いのが、仁徳天皇とその父である第十五代応神天皇の間の三年間なのである。

なぜ**仁徳天皇は父の死後、三年間も天皇に即位しなかった**のか。歴史的に珍しい天皇不在の背景には、聖帝のイメージには似つかわしくない暗殺劇があった。

天皇の子どもたちの間で何があったのか

仁徳天皇の皇子時代の名は大鷦鷯《おおさざき》といった。父である応神天皇は、二十人もの子に恵まれた子福者《こぶくしゃ》であった。

応神天皇は、その四十一年にわたる治世を誰に託《たく》すかを決めるにあたり、寵愛していた末息子の菟道稚郎子《うじのわきいらつこ》に白羽《しらは》の矢を立てた。そして崩御の一年前に菟道稚郎子を正式な皇太子とした。その際、兄である大鷦鷯は弟の補佐を命じられ、さらに年長の兄である大山守命《おおやまもりのみこと》には山川林野の管理権を与えた。

この父の裁断《さいだん》に不満を抱いたのが大山守命だ。もともと**「兄弟の中では年長者が敬《うやま》われて当然」と考えていた大山守命には、皇位への野心があった。**

いっぽうの菟道稚郎子はというと、父から皇太子に任じられたものの、内心では人格者である大鷦鷯に皇位を譲りたいと考えていた。そのため、応神天皇が崩御してもすぐには皇位に就かなかった。

天皇が空位のうちに玉座を奪ってしまおう。そう企てた大山守命はひそかに兵を募《つの》った。目的は菟道稚郎子が正式に天皇になる前に討つことであった。が、その謀《はかりごと》は大鷦鷯の知るところとなる。

「兄がお前の命を狙っている」

大鷦鷯からそれを知らされた菟道稚郎子は、自ら大山守命を謀殺することにした。そして、宇治川《うじがわ》を渡る渡し舟の船頭《せんどう》に変装し、大山守命の軍勢が来るのを待った。

なにも知らない大山守命とその軍勢は、弟の手勢が操《あやつ》る舟に乗った。舟が流れの強い川のなかほどまで来たときだった。

「かかれ!」

菟道稚郎子の命が下る。すると仕掛けを施した舟は次々とバランスを崩して転覆。重い軍装を身につけた大山守命と兵たちは川に飲まれた。

「おのれ!」

叫んだ大山守命だったが、どうすることもできなかった。なんとか河岸に泳ぎつこうとするも、そこには隠れていた菟道稚郎子の軍勢が弓を持って待ち構えていた。雨のように降り注ぐ矢の中で、大山守命は溺死した。

謀反人の兄を討った菟道稚郎子だったが、**命の恩人ともなった大鷦鷯への畏《い》敬《けい》の念は変わらなかった。**その後も菟道稚郎子は皇位に就かず、兄にかわりとなるよう勧めた。**大鷦鷯もまた父の遺言を守って弟に即位を勧めた。二人の譲りあいは三年続いた。**

「私がいたのでは、兄は天皇にはなってくれない」

思いつめた菟道稚郎子は、自ら命を絶った。弟の死を悲しんだ大鷦鷯はその遺《い》志《し》に応え、第十六代天皇に即位した。こうして誕生したのが、聖帝・仁徳天皇だったのである。

菟道稚郎子の死には、この他病死説（『古事記』）や、大鷦鷯による呪詛《じゅそ》説、毒殺説などいくつかの説があるが、仁徳天皇の業績を鑑《かんが》みると有力なのは、やはり自死、もしくは病死とされている。もちろん、兄弟の間でなにがあったのか、真相は本人たちに聞かないとわからない。あるいは、現在は発掘調査が禁止されている仁徳天皇陵のどこかに、謎を解き明かすカギがあるのかもしれない。

芹沢鴨暗殺事件（１８６３年）

「隊の名に恥じる!」新撰組筆頭局長への粛清

幕末の京都を舞台に不逞浪士《ふていろうし》の取り締まりなどで活躍した新撰組。その歴史は、一八六三年の結成から、一八六九年に箱館《はこだて》戦争で新政府軍に敗れて解散するまで、わずか六年という短いものであった。

その間に、隊はいくつかの内紛騒ぎを起こしている。最初に起きた大きな事件が芹《せり》沢鴨《ざわかも》暗殺事件だ。

二派に分かれていた新撰組

新撰組の前身は清河八郎《きよかわはちろう》が組織して都に上った浪士組である。しかし、清河の真の目的は尊皇攘夷にあり、浪士組はすぐに江戸へ戻った。

これに反発し、清河と袂《たもと》を分かって京都に残留したのが近藤勇《こんどういさみ》、土方歳三《ひじかたとしぞう》ら試衛《しえい》館《かん》派といわれる面々と、芹沢鴨を中心とする水戸《みと》派だった。

両者は手を組み、会津《あいづ》藩預かりの壬生《みぶ》浪士組を結成した。

結成当時、浪士組を束ねていたのは、元水戸藩士で水戸天狗《てんぐ》党出身の芹沢だった。**芹沢にはカリスマ的なところがあったが、それ以上に粗暴な性格**で、とくに酒が入ると手がつけられなかったという。

金が入用だと商家に押し入って強引に金を借りることなど日常茶飯事。生糸《きいと》問屋の大和屋に金策を断られたときは、店に火をつけ全焼させてしまった。執心《しゅうしん》していた芸《げい》妓《こ》に同衾《どうきん》を拒まれ、見せしめにその芸妓の髪を切ってしまったこともある。

こんなことが繰り返されていたのでは隊の名に恥じる。当然ながら近藤や土方はそう考えた。それでなくても、新撰組を運営していくのに芹沢たち水戸派は邪魔な存在だった。

一説には、芹沢のあまりの所業に、朝廷や会津藩からも処罰を求める声が出ていたともいう。

泥酔して寝ていたところを襲われた男たち

一八六三年、芹沢や近藤は、島原にある角屋《すみや》で隊を挙げて宴会を開いた。浪士組は

今も刀傷が残る芹沢暗殺の現場・京都の八木家

前月に起きた「八月十八日の政変」を境に「新撰組」と名を変えていた。

芹沢とその腹心の平山五郎《ひらやまごろう》、平間重助《ひらまじゅうすけ》らは宴会を途中で切り上げ、屯所《とんしょ》にしていた壬生の八木《やぎ》家に戻って、そこで待っていたそれぞれの愛妾《あいしょう》たちと飲み直した。そして、酔いに酔った末に床に入った。

外は大雨で、雨の音以外の物音は聞こえなかった。

芹沢たちが寝ている部屋の戸が、突如として開いた。飛び込んできた男たちの手には白光りする太刀があった。

男たちは寝ている芹沢目がけて布団の上から太刀を突き刺した。太刀を抜くと慌《あわ》てた芹沢が布団から這《は》い出てきた。すでに血まみれの芹沢は隣室に逃げたがそこまでだった。文机《ふみづくえ》に足をとられて転んだところにふたたび太刀が突き立てられた。同じように平山も殺され、別の部屋にいた平間はからくも屋敷から飛び出るとそのまま逃げ出した。愛妾たちのうち、芹沢と一緒にいたお梅という女性は巻き添えを食って斬られてしまったが、他の二人は無事だった。

芹沢と平山を暗殺したのは、試衛館派の土方歳三や沖田《おきた》総司《そうじ》、原田《はらだ》左之助《さのすけ》たちだった。彼らは近藤の命で、災いの種でしかない芹沢一派の粛清《しゅくせい》に動いたのだった。芹沢と平山の暗殺は長州藩士によるものとされ、新撰組は二人の葬儀を盛大に執《と》り行なった。

水戸派を一掃した試衛館派は、以後、新撰組の実権を握り、局長の近藤を中心に強固な組織を作っていく。そして翌一八六四年には池田屋事件でその名を一気に高め、内紛の種を抱えながらも絶頂期を迎えることとなるのであった。

百年戦争とフランス王朝の内乱

オルレアン公暗殺事件（１４０７年）

百年戦争（一三三七〜一四五三年）の頃の話だ。

フランス王であるシャルル五世には九人の子がいたが、当時の王族によくあった近親婚が祟《たた》ってか、大半の子は幼くして亡くなり、無事に成長したのは二人の男の子だけだった。一人は王位を継ぐシャルル六世、もう一人が四歳年下の弟のルイことオルレアン公である。

叔父たちの政治に口出しした王の弟

一三八〇年、父のシャルル五世が亡くなると、まだ十一歳だったシャルル六世が王位を継いだ。王が幼いため、しばらくの間、フランスの統治は摂政である叔父のブルゴーニュ公らが行なっていた。これに対して異を唱えたのがオルレアン公のルイだった。

ルイは十六、七歳になると叔父たちの支配を嫌い、兄に王による親政を勧めた。そして**自ら政治にかかわり、ことごとく叔父たち、とりわけブルゴーニュ公のフィリップと対立**したのである。

二人の意見の相違は外交において顕著で、とくにイングランドに対してはルイが強硬派なのに対し、ブルゴーニュ公は穏健派と二つにはっきりと分かれた。本当ならここで王であるシャルル六世が裁断すべきなのだが、あいにくシャルル六世には精神的な病があり、王としての務めは果たせなかった。

ブルゴーニュ公との確執は、フィリップが死んでその息子のジャンの代になるとますますひどくなった。相手が叔父であろうが従兄弟であろうが、ルイはおかまいなしだった。気がつくと宮廷はルイのアルマニャック派とジャンのブルゴーニュ派に分裂していた。

兄を操って権力を自分のものにしようとしたルイはどんな人物だったのか。伝わるところによると、享楽的《きょうらくてき》な好色家《こうしょくか》だったという。

パリにある彼の屋敷では毎晩のようにパーティーが開かれ、乱痴気騒《らんちきさわ》ぎが繰り広げられていた。**ルイは目にとまる美女たちを次々に愛人にした。**既婚者だろうと寝所に連れ込んだ。そのなかには兄の妻、王妃で義姉《ぎし》にあたるイザボーまでいたという。

パリの路上は血に染まった

一四〇七年十一月二十三日、ルイはイザボーの住むバルベット館に足を運ぶ。イザボーはこの少し前に、おそらくはルイの子である新生児を亡くしていた。失意の彼女を慰《なぐさ》めようと、ルイは愛人である義姉のもとを訪ねたのだった。その帰り道のことだった。ルイは突如として現れた暴漢《ぼうかん》に襲われ、暗殺されてしまったのである。

ルイに刃を向けたのは、ジャンの放った刺客だった。ドクトンヴィルというその男は、**個人的にもルイに恨みを抱いていた。なぜならば彼の妻もまた、過去にルイの手にかかっていた**からである。

ルイの暗殺後、ジャンは政権をほしいままにしようとした。だがこれはアルマニャック派との対立を決定的なものとした。フランスは両者の内戦状態となり、一度は休戦していたイングランドの介入を招くこととなる。

このときに端を発した争いの終息は、フランスがイングランドに勝利する一四五三年のカスティヨンの戦い、ボルドー陥落を待たねばならない。ルイとフィリップ、ジャンの仲がよければ、百年戦争の少なくとも後半部分はなかったかもしれない。

ここから始まったアメリカ大統領暗殺事件

リンカーン大統領暗殺事件（1865年）

アメリカ第十六代大統領であるエイブラハム・リンカーンは、奴隷解放や西部開拓を推進させたホームステッド法の発効などで高く評価されるいっぽう、アメリカで初めて暗殺された大統領としても知られている。

舞台を観劇中に至近距離から狙撃される

リンカーンが暗殺されたのは一八六五年四月十四日のこと。その日、リンカーンは妻のメアリーやヘンリー・ラスボーン少佐とともにホワイトハウスからほど近いフォード劇場へと観劇に出かけた。

この時点で、奴隷制度廃止をめぐって起きた南北戦争の勝敗はリンカーン率いる北軍の勝利に決していた。リンカーンとしては四年続いた内戦がやっと終わるというほっとした気持ちがある反面、この先、敗者となった南部諸州をどう扱うのか頭を悩ませてもいた。ここはひとつ演劇でも見て、いっとき大統領の責務から解放されたい。そんなふうに思っていたのかもしれない。

だが、それはリンカーンの命を狙う者にとってはまたとない好機であった。劇が始まってしばらく経った頃、劇場に一人の男が現れた。

ジョン・ウィルクス・ブースという男は俳優だったが、このときは芝居を演じるために劇場に来たわけではなかった。この日の彼は暗殺者であった。南軍の支持者であるブースは、かねてからリンカーンの誘拐《ゆうかい》や殺害を企てていたのである。

劇場に顔のきくブースは、裏口で職員に馬を預けると劇場内に入り、二階にある「ステート・ボックス」というバルコニー席へと向かった。そこにはリンカーン大統領がいた。なに食わぬ顔で入ってきたブースを警戒する者はいなかった。前年に狙撃されたことのあるリンカーンには護衛がついていたが、北軍の勝利に気がゆるんでいたのか、この晩、大統領の横にその姿はなかった。

ブースは**観劇中の大統領にはずれようのない距離まで近づくと、持っていたデリンジャーピストルを左後頭部に向けて放った**。リンカーンはなにが起きたかもわからず倒れた。慌てたラスボーン少佐がブースを取り押さえようと立ち上がったが、ナイフで斬りつけられたため、捕らえることができなかった。ブースはその隙に舞台に飛び降りると、観客に向かって「独裁者は仕打ちを受けた」といった意の言葉を放ち、逃亡した。リンカーンは即死は免《まぬが》れたが、運び込まれた先のピーターセンハウスという寄宿舎《きしゅくしゃ》で、翌四月十五日の午前七時二十二分に息を引き取った。五十六歳だった。

愚行に終わったブースによる暗殺劇

事件後、ブースは逃亡先で射殺された。他に暗殺計画に加わっていた者たちも捕らえられ、絞首《こうしゅ》刑や懲役刑となった。

南北戦争はほぼ終結していたのに、どうしてブースはリンカーンを暗殺したのか。そこには、リンカーンやその側近を排除すれば南軍に有利な状況が生まれるという考えがあった。が、これは安易すぎた。

終戦後は南部に対して穏健に接しようと考えていたリンカーンが暗殺されたことで、議会は急進《きゅうしん》派が牛耳《ぎゅうじ》ることとなり、ふたたびアメリカ合衆国に属することとなった南部に対して厳しい政策をとることとなってしまった。そういう意味で、**ブースの行ないはまったくの無駄であり愚行《ぐこう》であった。**

護衛もつけない気の緩みで命を絶たれた大統領

余談ながら、リンカーンの奴隷解放と南北戦争は日本にも影響を及ぼした。当時の日本は幕末の動乱《どうらん》期だった。それをもたらしたのはペリーの黒船来航だった。が、動乱のきっかけをつくったアメリカは南北戦争で日本どころではなくなってしまった。

戊辰《ぼしん》戦争ではイギリスが新政府軍、フランスが佐幕派についたが、アメリカがこのとき積極的に関与していたら明治維新はどうなっていたか、興味深いところではある。

実際、戊辰戦争において、南北戦争で大量に余った銃器類が日本に輸出され、使用されたのである。さすがのリンカーン大統領もそこまでは想像しなかったに違いない。

スターリンの放った刺客のターゲットになった革命家

トロツキー暗殺事件（１９４０年）

レオン・トロツキーは一八七九年、南ウクライナの裕福な農家に生まれた。少年時代は教育熱心な父のもとで勉学や読書に励み、その甲斐《かい》あって国費でオデッサの有名校に入学を果たした。

そのまま普通に育っていれば実家を継ぐか実業家になっていたかもしれないトロツキーだったが、オデッサでの学生時代にマルクス主義に触れたことで革命運動にかかわっていくこととなる。

「暗黒裁判」と息子の死

政府の弾圧《だんあつ》や逮捕、海外逃亡といった試練を乗り越えたトロツキーは、一九一七年、ロシア革命が起きるとウラジーミル・レーニンが率いるボリシェヴィキ（のちの共産党）に入党する。その後は政権内で外務人民委員、軍事人民委員・最高軍事会議議長などを歴任し、ソ連赤軍《せきぐん》の建設に貢献した。その理想は共産主義による世界連邦の実現。**優れた弁舌とリーダーシップは右に出る者がいなかった**が、祖国で活躍できたのは数年であった。

一九二三年に同志のレーニンが病気で引退すると、トロツキーは思想の異なるスターリンらの一派に政争で敗れて国外追放となり、メキシコへ亡命することとなった。逃亡先のメキシコで、トロツキーはスターリンの提唱する一国社会主義（スターリン主義）を批判し、そこに迎合《げいごう》しない仲間を集めようと第四インターナショナルを組織した。

こうした動きに対してスターリンは、国内にいる反対派はもとより、海外にいる人間までをも粛清の対象とした。独裁者となったスターリンはかつての同志たちを次々に裁判にかけ、処刑した。最初から処刑ありきのこの裁判をトロツキーは「暗黒裁判」と批判したという。

スターリンは地球の裏側で自分を非難するトロツキーを許さなかった。まず、パリに留学中だったトロツキーの息子が暗殺と思われる謎の死を遂げた。この報を受けたトロツキーは、次のターゲットが自分であることを悟った。

信頼している人だったのに……

トロツキーの予想は当たった。一九四〇年五月二十四日、スターリンの命でメキシコに送り込まれた刺客たちは二十名あまりの武装グループを組織し、メキシコシティ郊外のトロツキー宅を襲撃した。だが、**数百発の銃弾を撃ち込まれたにもかかわらず、寝室にいたトロツキーとその妻はうまく銃弾の死角に逃れ無事であった。**

その後、トロツキーは家のドアや窓を鉄製にするなど要塞《ようさい》化した。そして机に向かい、スターリンの伝記を書いた。本を出版し、共産主義を自分の独裁に利用することしか考えていない政敵《せいてき》の正体を世界に暴いてみせるつもりでいた。

しかし、スターリンは執拗《しつよう》だった。八月二十日、トロツキーの支持者で、秘書の恋人でもあるラモン・メルカデルがやって来た。自分の書いた論文を見てほしいというメルカデルをトロツキーは書斎《しょさい》に迎え入れた。

メルカデルは、論文を読みはじめたトロツキーの背後にまわると、用意していたピッケルをその後頭部に振り下ろした。

トロツキーの叫び声に警備係たちが飛び込んできて、メルカデルを拘束《こうそく》した。**メル**

カデルはその場で、母親が人質となっていることを明かした。それだけでなく、彼の弟もモスクワで監視下にあった。スターリンはメルカデルの弱みを握って刺客に仕立て上げ、彼から人質をとることで暗殺を確実に実行させたのだった。

トロツキーはその場では死ななかったが、一日経った翌日の夜七時頃、病院のベッドの上で死亡した。六十年の生涯であった。

トロツキーの死は、直接的には歴史の大勢には影響しなかった。この時代、すでにソ連はスターリンのものとなっていたからだ。たとえトロツキーが生きていたとしても、その活動はスターリンの非難で終わっていた可能性が高い。

だが、もしトロツキーがソ連を追放されることなく力をふるっていたら、世界はどうなっていたのか。そこには一考の価値がある。ユダヤ系だったトロツキーがソ連の指導者だったら、ナチスドイツによるユダヤ人迫害も少し様相を変えていた可能性がわずかながらある。

メキシコシティのトロツキー宅は、現在は博物館となっていて、暗殺現場なども当時のまま保存されている。

十三代将軍の死には烈公・徳川斉昭の暗躍があったのか

徳川家定暗殺疑惑（１８５８年）

天下泰平のもと十五代続いた徳川幕府の将軍のうち、正史において暗殺された将軍は一人もいない。

ただし、なかには十代将軍・徳川家治《いえはる》のように暗殺説がある将軍もいる。家治の場合は、老中《ろうじゅう》であった田沼意次《たぬまおきつぐ》による暗殺説が囁かれたが、これは当時権勢をふるっていた田沼を快く思っていなかった者たちが流した虚言《きょげん》であったことがわかっている。

もう一人、暗殺説を唱えられているのが十三代将軍の徳川家定《いえさだ》である。家定は十二代将軍・徳川家慶《いえよし》の四男で、三人の兄が早世していたため実質的な長子として将軍職を継いだ。

亡くなったのは一八五八年。死因は当時流行していたコレラだった。しかし、**本当の死因は家定に恨みを持つ者たちによる暗殺だったのではないか**とも言われているのである。

一橋派と南紀派の将軍後継争い

家定に恨みを持つ者とは誰か。その名を明かしたのが、江戸城の奥に勤めていた藤波という女性だった。

家定の死後、彼女が実家に送った手紙には、水戸藩主の徳川斉昭《なりあき》やその息子である一橋慶喜《ひとつばし》、福井藩主の松平慶永《まつひらよしなが》（春嶽《しゅんがく》）、それに老中の堀田正睦《ほったまさよし》らの名があった。彼らは皆、慶喜を次期将軍に推《お》さんとしていた「一橋派」と呼ばれる面々であった。一橋派にはこの他、薩摩藩主の島津斉彬《しまづなりあきら》や老中の阿部正弘《あべまさひろ》などがいたという。

家定が将軍に在任していた安政《あんせい》年間は、日本が黒船の来航に揺れていた時代である。難局のなか将軍職を継いだ家定には嫡子がいなかった。そのため、次の将軍は御三家《ごさんけ》、もしくは御三卿《きょう》のなかから選ばねばならなかった。候補となったのが水戸徳川家出身で一橋家を相続していた一橋慶喜と、紀州徳川家の徳川慶福《よしとみ》（家茂《いえもち》）であった。

家定は聡明であったとも愚昧《ぐまい》であったとも言われ、いまの世も評価が定まらない人物である。また、病弱であったともいわれている。

そのため父の家慶には息子の家定ではなく、才気のある一橋慶喜を十三代将軍にしようという考えもあったという。家定が将軍になったのちも慶喜を将軍に、と考える人々がいたとしてもおかしくない話ではある。これに異を唱えていたのが、南紀派《なんきは》と呼ばれる徳川慶福を推す勢力だった。

一橋派、南紀派は権力を持つ男たちだけでなく裏で将軍を動かす大奥《おおおく》にもいた。藤波も南紀派だったといわれている。また、家定の正室の篤姫《とくひめ》（天璋院《てんしょういん》）は一橋派の島津斉彬の養女であった。

一橋慶喜と徳川慶福。家柄を考えれば御三家中二位の紀州徳川家出身の慶福が有利だが、このとき慶福はまだ十二、三歳で、頼りなかった。対して慶喜は「神君家康公の再来」と呼ばれるほど評価の高い青年だった。

犯人を名指しする手紙は憶測で書かれた？

こうした状況のなか、家定は彦根《ひこね》藩主の井伊直弼《いいなおすけ》を大老《たいろう》にした。直弼は南紀派の中心であった。**家定の周囲には一橋派が多かったが、どうも家定自身は慶喜のことがあまり好きでなかった**ようなのである。

南紀派の直弼の大老就任からもわかるとおり、結局、十四代将軍には慶福が決まった。それからほどなくして家定は病死したのである。

この頃、一橋派は直弼によって幕府の中枢からは遠ざけられていた。「暗殺説」が浮上するのも当然といった世情である。しかも家定の死は、すぐに発表すると人心が動揺するという理由から、一ヶ月ほど秘匿《ひとく》された。これがますます人々を疑心暗鬼にさせたのだった。

藤波の手紙のなかでは、暗殺の首謀者は徳川斉昭となっている。**息子を将軍にできなかった恨みからだというが、実はその斉昭を藤波こそが恨んでいたともいわれている。**

「烈公《れっこう》」と呼ばれるほど気性の荒かった斉昭は、いっぽうで好色でもあり、大奥の女性に手をつけたことがあった。また倹約家でもあり、大奥の支出を浪費と見なしていた。このため、藤波たち大奥の女性たちから疎《うと》まれていたのだ。

篤姫もおそらく、自分が一橋派から送り込まれたことを知りながら、それでも斉昭には味方できなかったのではなかろうか。

ともあれ、そんな藤波だったから、確証がないまま憶測だけで家定の死を斉昭による暗殺と書いてしまったというのが事の真相だろう。

第3章

いつの世も〝新しき者〟は狙われる

——反乱・革命は犠牲なしには始まらない

憎悪の刃に倒れた大老は暗殺を覚悟していた？

桜田門外の変
（1860年）

一八五三年の黒船来航から一八六七年頃までの幕末と呼ばれる時代は、暗殺事件の宝庫である。日本が揺れに揺れたこの時代、中央で、地方で、さまざまな暗殺が起きた。とくに有名なのが大老・井伊直弼《なおすけ》が水戸脱藩浪士たちに殺害された一八六〇年の「桜田門外の変」である。

「安政の大獄」で反対派を徹底的に弾圧

井伊家は、徳川幕府初代将軍・徳川家康の頃からの譜代《ふだい》大名である。祖先である井伊直政《なおまさ》が「徳川四天王」と呼ばれた重臣《じゅうしん》中の重臣だったこともあり、関ヶ原の戦いのあと、石田三成の旧領を与えられ、代々彦根藩を継承してきた。

直弼はその井伊家当主の十四男。普通ならば本家を継ぐことはできず、部屋住みで一生を終える身分である。しかし、兄の病死などで第十五代藩主となると、その八年後には幕府第十三代将軍・徳川家定の命で老中以上の職である大老に就任した。

当時の幕府は開国派と攘夷派に分かれていた。直弼は開国派であり、大老となった一八五八年には、**日米修好通商条約に調印**する。これは緊急事態ということで、本来必要とする天皇の勅許《ちょっきょ》がないままでの締結となった。

この条約締結が、攘夷派の反発を招く。外国嫌いの孝明《こうめい》天皇は、強硬派の水戸藩に「戊午《ぼご》の密勅《みっちょく》」と呼ばれる勅書《ちょくしょ》を出した。勅書の中身は、御三家や有力諸藩は幕府を動かし攘夷を実現するとともに、幕府と朝廷の公武合体を進めよというものだった。

直弼は幕府の頭越しに勅書が出されたことに激怒。攘夷を進めるという内容も到底容認できるものではなかった。そこで世に言う「**安政の大獄《たいごく》**」が起こった。**直弼は自分に反対する者たちを弾圧した。**尊攘派の志士である橋本左《はしもとさ》内《ない》や吉田松陰《よしだしょういん》は刑死。水戸藩の徳川斉昭は蟄居《ちっきょ》。他にも捕縛《ほばく》、免職、謹慎、隠居《いんきょ》など多数の人々が処分された。なかでも中心にあった水戸藩には厳しい沙汰《さた》が下りた。直弼は水戸藩に対して、従わなければ改易《かいえき》もあり得るとほのめかした。

この直弼の横暴《おうぼう》に水戸藩士たちは怒った。とりわけ過激な者たちは幕府の目を逃れるために脱藩し、ひそかに直弼襲撃の計画を練った。

「襲われる」とわかっていたのに……

一八六〇年、雪が舞う三月の朝、直弼は江戸城に登城《とじょう》する駕籠《かご》の中にいた。この日は雛《ひな》祭りで、江戸在勤の諸大名は登城することになっていた。沿道には大名行列の人々が大勢出ていたという。

約六十名ほどの井伊家の行列が桜田門に近づいたときだった。見物客《けんぶつきゃく》に紛れていた脱藩浪士たちが行列に襲いかかる。その数十八人。行列警護の彦根藩士たちの方が数ではまさっていたが、用意周到で襲撃した脱藩浪士たちの方が有利だった。しかも、襲撃とほぼ同時に駕籠に向かって銃弾が放たれ、直弼は負傷してしまった。

斬りあいのなか、駕籠を守る者がいなくなると、脱藩浪士たちは次々と駕籠に刀を突き立てた。瀕死《ひんし》の重傷を負った直弼は駕籠から引きずり出され、首を刎ねられた。

直弼はなぜあっさりと殺されてしまったのか。**実は、直弼のもとには水戸の脱藩浪士たちが行列を襲うという情報が入っていた**という。なかには大老職を辞職してひとまず身を守った方がいいと勧めた人間もいたが、直弼は首を縦には振らなかった。警護の人数を増やすこともせず、いつもどおりに登城して、そこで殺されたのである。

真っ白な雪が血に染まった江戸城・桜田門外

こうした事実を知ると、直弼は死を覚悟していたようにも思える。**鉄の意志で安政の大獄を貫徹《かんてつ》したが、いっぽうでは自分も報いを受けるだろうと思っていた**のかもしれない。

直弼の死で、時代はさらに混迷《こんめい》を極めることになる。その後の八年間、尊攘派の多くは倒幕派、開国派となり、国のあちこちで争いが起こった。直弼の死後、幕府内での権力を失った彦根藩は冷遇され、戊辰戦争では譜代筆頭でありながら薩長が中心の新政府軍に加わった。

もし直弼が生き延びて幕政の中心にい続けていたら、日本は、徳川幕府はどうなったのか。興味深いところである。

「話せばわかる」わけではなかった

五・一五事件（1932年）

一九二〇年代から始まった日本の政党政治。民主的な考えを持つ内閣が行なう政治は、いっぽうで満州での権益《けんえき》を拡大しようとしている帝国主義的な思想の軍人たちとは相容《あいい》れないものであった。

また、当時は東北や北海道などで不作が続いていて、農村部を中心に数十万人が餓死寸前の状況にあった。

こうした状況に、強い正義感を持った一部の右翼活動家や若い軍人たちは、国を変えねばならないと血盟団《けつめいだん》などの急進的な組織をつくり、過激な行動に走るようになっていた。五・一五事件はそうした軍人たちが起こした代表的な暗殺事件だ。

九人の闖入者に一斉に撃たれた現職首相

一九三二年五月十五日、第二十九代内閣総理大臣・**犬養毅**《いぬかいつよし》は首相官邸におり、夕方の十七時頃に海軍中尉《ちゅうい》の古賀清志《こがきよし》、三上卓《みかみたく》ら九名の若い陸海軍将校《しょうこう》が邸内《ていない》に押し入ってきた。犬養はこれに動じることなく、「話を聞こう」と彼らに促した。

犬養は軍人たちが自分に不満を持っていることを知っていた。陸軍が主導となって進めている満州国建国を自分が承認しないことに憤《いきどお》りを感じている者がいることも理解していた。

ただ、犬養自身はけっして反軍的な政治家ではなく、国民や軍部が不満を抱いていたロンドン海軍条約などには同じように反対の姿勢で臨んでいた。また陸軍には潤沢な国家予算を提供してもいた。

だから**血気にはやる者たちを目の前にしても「話せばわかる」と泰然《たいぜん》とした態度をとっていた**。

が、古賀や三上たちには別の目的があった。彼らの目標はいまの政党政治を排除して軍部中心の内閣を組織することにあった。ある意味、首相が誰であろうがかまわなかった。

彼らは「問答無用、撃て」の一言をかけ声に全員が犬養に向けて発砲し、その場を去ったのである。

九人に同時に撃たれた犬養だったが、まともに当たったのは三発だった。即死もしなかった。駆けつけた女中たちに介抱されながら、**犬養は軍人たちの拳銃の腕を「駄目だ」と評した**という。そしてその晩遅くに息を引き取った。

「同時多発テロ」のはじまり

青年将校たちのグループは犬養だけを襲ったのではなかった。同日には牧野《まきの》伸顕《のぶあき》内大臣邸、立憲政友会本部、警視庁、三菱銀行、日本銀行、東京市内六箇所の変電所などを襲撃している。

この事件で死亡したのは、暗殺された犬養のほかに警察官が一名だった。同時多発で起きたテロにしては、被害は少なかった。

事件後、自首した実行犯たちは反乱罪等で起訴された。しかし、青年将校たちに下りた判決は最高でも懲役十五年という甘いものであった。

法廷で、彼らは涙ながらに自分たちの思いを訴えた。国民から青年将校たちへの助命嘆願も数多く寄せられた。軍法会議は首相殺しの罪よりも、憂国の士としての軍人たちの志《こころざし》を認めた。そんな判決であった。

五・一五事件の衝撃を伝える当時の新聞記事

犬養毅の死は、戦前における日本の政党政治の終焉《しゅうえん》であった。そして、その後、日本の政治に軍部が介入し、軍部中心の政治指導が行なわれていくこととなった。国を牛耳りたい軍部にとっては、青年将校たちの決起は濡れ手に粟《あわ》のようなものであったのかもしれない。

また、世間的にも多くの国民が急進的国家改造運動に対して共感を示すようになったり、出版界が右傾化したり、右翼団体が増加したりと、日本全体がファシズム的な傾向をみせるようになっていく。

こうした時代の空気のなかで日本は戦争の道をひたすら進んでいくのである。

「クーデター」を起こした側の悲劇

二・二六事件（１９３６年）

戦前の日本陸軍には、同じ陸軍士官学校出身の軍人であっても、卒業後に陸軍大学校に進み、その後は陸軍省や参謀本部などに勤務するエリートと、一生をほぼ隊付《たいづき》で過ごす将校の二種類の職業軍人が存在した。いわゆる統制派と呼ばれる陸軍の派閥には前者が多く、いっぽうの皇道派《こうどう》は指導層を除けば後者が多かった。

一九三〇年代、両派の権力争いは現実的で政治力のあった統制派が精神主義的な皇道派に勝利を収めつつあったが、一九三五年に統制派のリーダーだった永田鉄山《ながたてつざん》少将が皇道派将校の相沢三郎《あいざわさぶろう》中佐に暗殺されるという事件が起きると、状況はにわかに緊迫する。

皇道派の青年将校たちは相沢の行動に奮い立った。庶民の出が多い彼らは、東北や北海道の飢饉《ききん》と困窮《こんきゅう》を憂え、いまこそブルジョワを排除して新国家を建設すべきと考えていた。そのためには、天皇親政《しんせい》（天皇が自ら執り行なう政治）の政権をつくることが必要であった。

かたや永田暗殺に続く皇道派の暴挙を恐れた統制派は、皇道派の若手将校が多い東京の第一師団を満州に派遣することにした。危険分子を遠ざけてしまおうというもくろみだった。だが、これがかえって青年将校たちに火をつけてしまう。

「昭和維新」と称して立ち上がった青年たち

一九三六年二月二十六日の深夜、皇道派の青年将校たちは、自分たちが率いる歩兵第一連隊や第三連隊の下士官《かしかん》兵、約千四百名を動かし、クーデターを起こした。

狙いは、岡田啓介《けいすけ》内閣総理大臣、高橋是清《これきよ》大蔵《おおくら》大臣、斎藤実《さいとうまこと》内大臣、鈴木貫太郎《かんたろう》侍従《じじゅう》長、渡辺錠太郎《じょうたろう》教育総監、牧野信顕帝室経済顧問ら、彼らが奸賊《かんぞく》とみなす政治家や軍人たちだった。奸賊たちを暗殺し、そのうえで**昭和天皇に直訴して天皇親政の国家を樹立しよう**というのが目的だった。彼らはこれを「**昭和維新**」と称していた。

幾手《いくて》かに分かれた反乱部隊は標的のいる官邸や自宅を急襲《きゅうしゅう》し、高橋是清大蔵大臣、斎藤実内大臣、渡辺錠太郎教育総監を射殺、あるいは刺殺した。

高橋は八十一歳という老齢だったが、実行犯の中橋基明《なかはしもとあき》中尉と中島莞爾《なかじまかんじ》少尉は躊躇《ちゅうちょ》なく銃撃、斬殺した。斎藤実内大臣もまた七十七歳という高齢であったが、安田優《やすだゆたか》少尉、坂井直《さかいなおし》中尉らによって四十発もの弾丸を浴びせられて絶命した。渡辺錠太郎教育総監は自ら拳銃を手にとって応戦したものの、軽機関銃を持つ反乱軍の敵ではなく殺害された。

岡田啓介総理大臣は秘書官の松尾《まつお》伝蔵《でんぞう》大佐を殺害した襲撃部隊が松尾を岡田本人と誤認したため、邸内の押入れに隠れることができ、翌日に変装して外へと脱出した。また、鈴木貫太郎侍従長は過去に面識のあった安藤輝三《あんどうてるぞう》大尉の率いる部隊に襲われ、数発の弾丸を受けて瀕死の状態となったが、「とどめを刺さないでほしい」という夫人の懇願を安藤が受け入れたことで一命をとりとめた。夫人は安藤たちが去ると皇居に電話を入れ、天皇に鈴木が襲われたことを報告した。

天皇の怒りを買った反乱軍の末路

青年将校たちの決起に、困惑したのは陸軍だった。皇道派はもちろん、統制派もできれば**陸軍同士が争う内乱は避けたいという気持ちが強かった**。そのため戒厳《かいげん》司令部は設置されたものの、この時点ではまだ青年将校たちの行動を「反乱」とは表現していなかった。

が、当初からこれを「賊軍《ぞくぐん》」と呼んだ人物が一人いた。昭和天皇である。自身が信頼する重臣たちを殺された天皇の怒りは凄《すさ》まじかった。しまいには「朕《ちん》が近衛師団《このえしだん》を直率して反乱を鎮圧する」と言い出すほどであった。皮肉なことに、**天皇親政を夢見る青年将校たちの行動は、その天皇自身の怒りを買ってしまった**のだった。

こうなるともはや青年将校たちに許された選択肢は限られていた。二月二十九日、天皇の勅命《ちょくめい》に対し、命令に従っただけの下士官兵は原隊に戻った。将校たちの多くは逮捕され、その後、裁判を経て銃殺や無期禁固刑となった。

この二・二六事件後、皇道派はその力を失った。陸軍は統制派を中心とした合法的な軍部独裁の道を歩むこととなり、日中戦争、そして対米英戦争に突入していくこととなる。

そして戦争末期、敗戦必至の日本を総理大臣として終戦に導いたのは、二・二六事件で生き残った鈴木貫太郎だった。鈴木は本土決戦を唱える陸軍を抑えるのに天皇の聖断《せいだん》を仰《あお》ぎ、これに天皇が応えたことで終戦が実現したのだった。

父に認めてもらいたかった……悲劇の親王

護良親王暗殺事件（1335年）

鎌倉幕府が滅亡したのは一三三三年のことである。新田義貞《にったよしさだ》が鎌倉を攻めたとき、その手には後醍醐《ごだいご》天皇の息子である護良親王《もりよししんのう》の令旨《りょうじ》があった。

後醍醐天皇には十人を超える子どもがおり、護良親王は第三皇子であった。一三〇八年に生まれた親王は、最初、天台宗《てんだいしゅう》の三千院《さんぜんいん》で修行し、その後、二十歳で比叡山《ひえいざん》で天《てん》台座主《だいざす》となった。

当時は九重塔《くじゅうのとう》（大塔）の近くに居住したことから「大塔宮《おおとうのみや》」と呼ばれていた。僧侶となったのは、当時すでに倒幕をもくろんでいた後醍醐天皇の命を受け、全国の僧侶たちをひとつにまとめることを目的としていたためとされている。

鎌倉幕府に対して挙兵した大塔宮は、還俗《げんぞく》して護良親王を名乗る。そして、吉野を拠点とし、楠木正成《くすのきまさしげ》とともに幕府軍と戦った。ほどなくして、隠岐《おき》に流されていた父・後醍醐天皇が島を脱出すると倒幕軍は勢いづき、都における幕府の拠点である六《ろく》波羅探題《はらたんだい》の軍勢を撃破。関東では北条氏が滅んで幕府は瓦解したのである。

「名ばかりの将軍」は捕らえられ、流された

鎌倉幕府が滅亡すると、後醍醐天皇は建武《けんむ》の新政に着手し、護良親王は征夷大将軍《せいいたいしょうぐん》に任じられた。それを支えたのが倒幕で功のあった足利尊氏《たかうじ》であった。

しかし、二人の協力関係は長くは続かなかった。**意見の合わない親王と尊氏は対立を深めた。**これは父の後醍醐天皇にとっては困ったことであった。天皇には息子である護良親王を征夷大将軍にすれば、武家の力を抑えられると踏んでいた。そのためには尊氏と良好な関係を保つ必要があった。

護良親王は父・後醍醐天皇に対しても不満を抱いていた。実質的に幕府軍と戦ったのは自分なのに、いつの間にかその功は父のものとなっていたからだ。

親王はまず、そりの合わない尊氏を討伐せんと令旨を発する。しかし、名ばかりの将軍である親王には、尊氏を打倒するほどの力はなかった。

この二人の諍《あらそ》いで、後醍醐天皇は尊氏に味方した。親王の無謀を訴えてきた尊氏に対し、天皇は「あれは朕の皇位も狙っておる」と答えた。実際、親王は父に対する不

満から、天皇が出す令旨とは別に自分でも勝手に令旨を発し続けていた。謀反の意志があると疑われても仕方がなかった。

一三三四年、護良親王は捕らえられ、尊氏が関東支配のために弟の足利直義《なおよし》を置いていた鎌倉将軍府に流された。このとき親王は**「尊氏よりも父が憎い」と呟いた**という。

「殺しに来たか」

翌一三三五年、北条方の残党が信州で乱を起こした。鎌倉に迫ってきた北条方の勢いに、直義は西へ逃れて態勢を整え直すこととした。その際、直義は親王をそのまま鎌倉に置き去りにしてしまった。

鎌倉を離れた直義は、すぐに自分の過ちに気がついた。

「もし北条方が護良親王を奉じて令旨を出したら……」

親王の令旨は、兄の尊氏や後醍醐天皇の親政に不満を持つ勢力を結集させるかもしれない。直義は家臣の淵辺《ふちべ》義博《よしひろ》に命じた。

「親王を殺せ」

護良親王はそんな自分の運命を悟っていた。夜、義博の一行がやって来ると「殺しに来たか」と刀を抜いて立ち向かった。が、幽閉の身ですっかり体力の衰えていた親王は、最後は組み伏せられてしまった。

「お覚悟を！」

義博の刃を、親王は口で受け止めた。そしてその切っ先をへし折った。だが抵抗むなしく、その首は刎ねられてしまった。

月明かりの下、落としたばかりの親王の首を確かめた義博は、「ひっ」と悲鳴をあげた。そこにあったのは、かっと両目を見開いて刃をくわえる鬼の顔だった。あまりの恐ろしさに、義博はその首を竹やぶに投げ捨てたという。

実はこの一件には逸話がある。義博が親王の身を憐《あわ》れんで他国へ逃がしたという伝説だ。親王の首が直義のもとに届けられなかったのは、ひょっとすると逸話の方が真実であるからなのかもしれない。

なんにせよ、父のために立ち上がったにもかかわらず報われることのなかった親王は、不運としか言いようがない。

歴史的暴君が自ら招いた死

足利義教暗殺事件
（1441年）

世界には「暴君」と呼ばれる君主が時折登場する。では、日本で暴君といえば誰だろう。比叡山延暦寺《えんりやくじ》を焼き討ちにしたり、一向宗《いっこうしゅう》の門徒を弾圧した織田信長や、無謀な対外戦争を大名たちに強要したり、甥とその妻妾《さいしょう》たちを処刑した豊臣秀吉などは見方によれば暴君といえるはずだ。

しかし、歴史を振り返ると、最大の暴君といえば足利義教《よしのり》をおいて他にいないのではなかろうか。室町幕府第六代将軍であった義教は、信長や秀吉に比べると知名度は低いが、暴君ぶりは際立っている。**その非道《ひどう》さは当時の人々に「万人恐怖」と言われるほどだった**という。

将軍がくじ引きで決まる!?

義教は三代将軍・足利義満《よしみつ》の三男（異説有り）として一三九四年に生まれた。十四歳で出家して比叡山に入山。二十五歳のときには最高位の天台座主となった。

義教が僧侶である間、将軍の座は兄の義持《よしもち》とその子の義量《よしかず》が継いだが、義量が若死にしたため、幕府は六代将軍を立てねばならなくなった。候補者は、義教を含めて四人いた。

前将軍の義持は誰にするか決めかね、最後はくじ引き（神頼み）で新将軍を選んだ。引かれたくじに名があったのは、弟の義教だった。

かつては僧侶だったのに横暴な暴君

還俗して六代将軍となった義教は、さっそく暴君ぶりを発揮する。

自分の古巣であった延暦寺と揉《も》め事を起こすと兵で囲み、使者として訪れた僧四人の首を刎ねた。次いで鎌倉公方である足利持氏の自分に対する態度が気にくわないと、ただそれだけで天皇に綸旨《りんじ》を出させてこれを攻め滅ぼした。

性格は苛烈《かれつ》にして短気で強引。なにかといえば癇癪《かんしゃく》を起こし、周囲の者を震え上がらせていた。長い間仏門にいたため、世情に疎いのも欠点だった。

政治経験がないところで最高権力者になったばかりに、力で人を押さえつければそれでいいと信じているようなところがあった。

あるいは義教は、自分が「くじ引き将軍」「還俗将軍」であることに引け目を感じ、それが暴政《ぼうせい》へとつながったのかもしれない。が、それにしてもやることなすことこの人物はひどかった。

横暴は過去にも遡《さかのぼ》った。

僧侶時代に恨みのあった相手の所領を没収。自分の知らぬ場で宴を催されたと知ると参加者全員を処罰。**笑顔で挨拶《あいさつ》してきた者に対しては「笑うとは、余をバカにするか」と所領没収。**諫言《かんげん》してきた僧侶がいれば捕らえて舌を切る。将軍職となってからというもの、こんなことの繰り返しだった。

義教は幕府を支える守護大名たちも抑圧した。大名たちの家督相続に口を出しては自分の意中の人物に跡を継がせ、それに歯向かう者は暗殺した。

「このままでは当家もいずれ餌食《えじき》となろう」

そう心配したのは、播磨《はりま》および備前《びぜん》、美作《みまさか》の守護を務める赤松満祐《あかまつみつすけ》だった。満祐は他の守護大名たちと同様に、義教から圧迫を受けていた。そして、それが限界に近づいたとき、こんな情報がもたらされた。

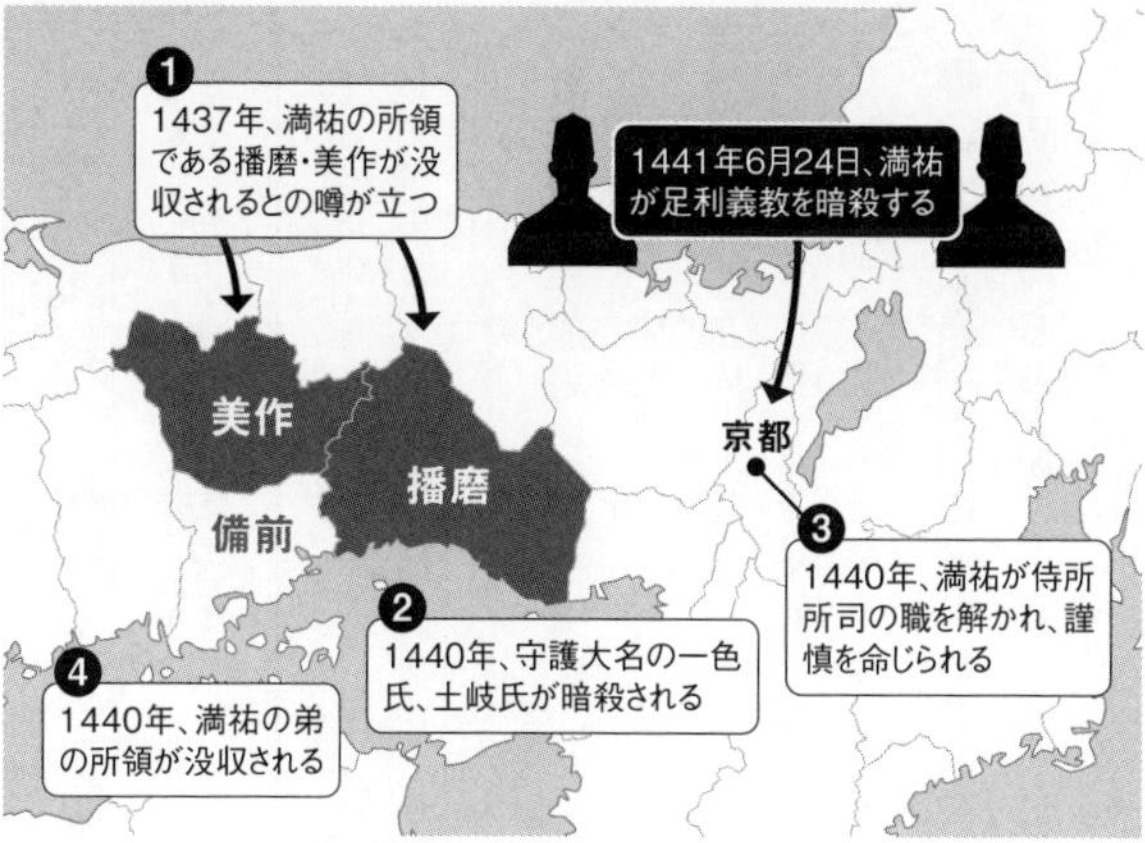

赤松満祐を追い詰めた4つの圧迫

「公方様は満祐殿を播磨守護の座から下ろそうとしているらしい」

これを知った満祐は先手を打つ。なにも知らない顔をして義教や他の幕臣たちを自邸に招いて宴を開いた。そして油断している義教を家臣たちに襲わせ、瞬く間に命を奪ったのである。**世間知らずな暴君は、よもや将軍である自分が殺されるとは思っていなかったのだった。**

その後、満祐は播磨に帰国したものの追《つい》討《とう》され、赤松家は滅亡した。しかし、のちに「嘉吉《かきつ》の変」と呼ばれることとなるこの将軍暗殺は幕府の権威を失墜《しっつい》させ、やがて応仁の乱を招くこととなるのだった。

尊皇攘夷思想に燃える若者たちに殺された改革者

吉田東洋暗殺事件（1862年）

幕末、全国には尊皇攘夷（天皇を尊び、外国人を排斥する）思想を持つ志士たちが各地で仲間を集め、運動を繰り広げていた。土佐勤王党もその一つだ。武市瑞山《たけちずいさん》（半平太《はんぺいた》）を中心とする土佐勤王党のメンバーは約二百人。そのなかには脱藩前の坂本龍馬や中岡慎太郎の名もあった。武市たち土佐勤王党は藩主を担《かつ》ぎ上げ、当時、政治の中心となっていた都で尊皇攘夷運動を行ない、朝廷に働きかけて幕府を攘夷に動かしたいと考えていた。そのためには、まず土佐藩をひとつにまとめねばならない。だが、そこには壁があった。

尊攘派と開国派に分かれていた土佐藩

当時の土佐藩の実権は、参政である吉田東洋《よしだとうよう》が握っていた。藩の支配者である山内容堂（豊信《とよしげ》）は安政の大獄で処分を受け、江戸で隠居謹慎の身、その子である豊範《とよのり》はまだ若く、藩政は東洋に一任されていた。

やがて薩摩藩や長州藩と並んで倒幕に動く土佐藩だが、この頃は安政の大獄の影響もあり、幕府に従順であった。東洋自身も開国派で、産業振興や軍制改革など、さまざまな面で**藩の改革を進めていた。**

そして、それらは土佐勤王党の尊皇攘夷思想とは相容れないものであった。

土佐藩は身分制度の厳しい江戸時代の武家にあって、ことにそれが厳格なことで知られている。家臣たちは上士《じょうし》と郷士《ごうし》に分けられ、郷士にとって上士は絶対的に服従《ふくじゅう》しなければならない相手であった。

土佐はもともとは長宗我部《ちょうそがべ》家の領地。しかし関ヶ原の戦いで長宗我部家は改易となり、山内一豊《かずとよ》が入封《にゅうほう》した。以来、旧長宗我部家の家臣たちは郷士として扱われ、山内家譜代の家臣が上士となった。そして土佐勤王党はそのほとんど全員が郷士だった。

改革を進める東洋からすれば「世を知らぬ郷士どもが何をたわけたことを」といったところだろう。すでに日本は開国していて、諸外国とは条約を結んでいる。武力に劣《おと》る日本が列強《れっきょう》に立ち向かうことはできない。だからいまは富国強兵《ふこくきょうへい》に邁進すべきだというのが東洋の考えだった。現代的な感覚からすれば、バランス感覚がとれているのは東洋の方に思える。
東洋は土佐勤王党の上申《じょうしん》を退けた。当然だった。そうしたなか、このままでは埒《らち》が明かないと焦《あせ》った土佐勤王党は、東洋暗殺を計画する。

仇敵を葬った土佐勤王党も……

一八六二年のある日、その日は雨が降っていた。東洋は高知城から自分の屋敷に帰る途中の道で、傘をさして歩いているところを武市半平太の命を受けた那須信吾《なすしんご》、大石団蔵《おおいしだんぞう》、安岡嘉助《やすおかかすけ》の三人によって待ち伏せされ、応戦するも斬り殺されてしまった。

首は藩の処刑場だった雁切《がんきり》の河原に罰文とともにさらされた。

東洋の死後、土佐勤王党は一度は藩を動かし、都に上って尊攘運動に活躍した。が、結局は江戸から土佐に戻った山内容堂によって弾圧され、多くの者が斬首、武市も切腹《せっぷく》となった。
吉田東洋も武市瑞山も思想こそ違えど優秀な人物であった。もし東洋に武市を改心させる力があれば、幕末における土佐藩の存在感はさらに増していたかもしれない。

不平士族が無力を思い知った維新三傑の暗殺

紀尾井坂の変
―大久保利通暗殺事件（1878年）

西郷隆盛、木戸《きど》孝允《たかよし》と並んで「維新の三傑《さんけつ》」と称される大久保利通《おおくぼとしみち》。西郷、木戸、大久保の三人は倒幕運動の中心にあり、明治新政府の立役者であったが、いずれも明治維新後、十年あまりで世を去っている。

西郷は一八七七年九月に西南《せいなん》戦争で敗死。木戸はそのさなかの五月に病死。最後に残った大久保も翌一八七八年の五月に暗殺された。

「不満」はたまるばかりだった

薩摩出身で西郷の盟友であった大久保は、明治新政府が樹立すると参議、大蔵卿《おおくらきょう》などの重職を務め、一八七三年以降は内務卿《ないむきょう》として富国強兵や殖産興業《しょくさんこうぎょう》に邁進した。だがその政策は、全国にあぶれていた不平士族からは評判の悪いものであった。

士族たちから見れば、大久保は維新の立役者とはいえ、**もとは自分たちと変わらぬ**

一介の武士である。それが国を牛耳っているという実情に不満を抱いている士族は少なくなかった。

西郷は、そんな士族たちの目を海外に向けさせようと征韓論《せいかんろん》を唱えた。内乱を抑えるのに敵を国の外につくるというのは施政者《しせいしゃ》がよく使う手である。

これに対し大久保は、いまは国力を充実させるために内政に力を注ぐべきだと反対した。

政治的対立は大久保に軍配が上がり、西郷は参議の職を蹴って薩摩に帰った。その西郷のもとに、元薩摩藩を中心とする不平士族が集結して起こしたのが、西南戦争である。

西南戦争は近代装備を持つ新政府軍の圧勝に終わった。これによって、それまで各地で起きていた不平分子による反乱はやんだ。もはや武力で政府を倒すのは不可能と、遅まきながら不平士族たちも気がついたのだった。

かわりに彼らが選んだのは政府高官の「暗殺」であった。真っ先に狙われたのは大久保だった。

人々が絶句したあまりにグロテスクな亡骸

一八七八年五月十四日のことである。この朝、大久保は赤坂仮御所で天皇に拝謁《はいえつ》し、同日に行なわれる軍の勲章《くんしょう》授与式に参加するため永田町にあった自邸《じてい》を馬車で出発した。同行者は従者《じゅうしゃ》と御者《ぎょしゃ》の二人だった。邸宅を出てまもなく、馬車が紀尾井坂《きおいざか》の手前の清水谷《しみずだに》付近に差し掛かったときだった。

突如として現れた六人の男たちが、馬を斬りつけ馬車をとめた。御者は慌てて馬車から降りて襲撃者たちの前に立ちはだかったが、瞬時にして刺し殺された。従者はからくもその場を脱出し、助けを求めに走った。だが遅かった。

馬車のなかにいた大久保は、男たちに引きずり出された。暗殺者は元加賀《かが》藩士の島《しま》田一郎《だいちろう》ら五名と元鳥取藩士で警察官の浅井寿篤《あさいひさあつ》だった。彼らの手には大久保を弾劾《だんがい》する斬奸状があった。

「無礼者！」

丸腰の大久保は島田たちを一喝《いっかつ》した。そこに男たちの刃が襲いかかった。よほど大久保が憎かったのか、**暗殺者たちは計五十回あまりも大久保を斬りつけ、その命を奪った。**逃亡する際、大久保の喉には短刀が突き刺さったままだった。

事件現場に駆けつけた者たちは、あまりに酷《ひど》い状態の内務卿の遺体に絶句した。大久保の五体はずたずたに引き裂かれ、頭蓋から覗《のぞ》く脳は死後痙攣《けいれん》を起こしていたという。

その後、島田たちは自首し、斬首となった。

大久保は死んだが、彼が唱えた富国強兵策も殖産興業も止むことはなく、日本は近代化の道をひたすら進んだ。

政府要人には護衛がつくようになり、暗殺は難しくなった。いっぽう政府に不満を持つ人々も、政府高官を暗殺しても何も変わりはしないことを知った。これ以降、不平士族たちは暗殺という実力行使よりも自由民権運動に代表される言論闘争へと身を投じるようになっていったのである。

国王に逆らい続け大聖堂を血に染めた大司教

トマス・ベケット暗殺事件（1170年）

イングランド南東部、ロンドンから日帰り可能な観光地として人気なのがカンタベリー。旅行者のお目当てはイングランド国教会の中心であり、ユネスコの世界遺産に登録されているカンタベリー大聖堂だ。再建された現在の聖堂はゴシック様式だが、一一三〇年に建てられた最初の聖堂はロマネスク様式だったという。当時のイングランドではカトリックが信仰されており、大聖堂は国内におけるキリスト教の聖地であると同時にさまざまな学問を司《つかさど》る教育機関でもあった。

国王側から教会側へ

カトリックの聖人の一人であるトマス・ベケットも、カンタベリー大聖堂で学んだ一人だ。一一一八年、ロンドンの商家に生まれたベケットは、裕福な実家で十分な教育を受けたのち、ただの商人におさまるつもりはなかったのか、二十三、四歳のとき

に カンタベリー大司教《だいしきょう》のシオボールドに仕えた。頭脳明晰《めいせき》なベケットは大司教に目をかけられ、フランス留学ののち、大聖堂の助祭長《じょさいちょう》に就任した。

チャンスがまわってきたのは一一五四年のこと。ヘンリー二世がイングランド王に即位すると、シオボールドはベケットを国王の側近となる大法官《だいほうかん》に推薦した。**ヘンリー二世もまた、商人あがりで宗教家らしくないところがあるベケットを気に入った。**

気の合う二人は一緒に贅沢《ぜいたく》を楽しみ、享楽的な生活を送った。しかし、そんな日々を過ごしながら、ベケットの胸には「私はこのままでいいのだろうか」という疑問が生まれてもいた。

一一六一年、シオボールドが世を去ると、ヘンリー二世はベケットに大法官の役目と空席となったカンタベリー大司教の座を兼任させることにした。ベケットはまだ助祭長であって司祭にすらなっていなかったため、この人選は物議を醸《かも》したが、ベケットは大司教となることを引き受けた。

ヘンリー二世にすればしてやったりであった。側近である大法官が大司教となれば、ときに政治とぶつかる教会を支配することができると考えたのだ。

が、ベケットはヘンリー二世の期待には応えなかった。表面はともかく心の奥にキリスト教の教えが身にしみついていたベケットは大法官の座を捨て、カンタベリー大司教の仕事に専念することにしたのだった。そして**大司教となるや、一変して生活態度をあらため、質素《しっそ》な生活をはじめた**。

ヘンリー二世としてはおもしろくない。そればかりか、政策の制定などにおいて二人はぶつかるようになっていった。ベケットは教会の自由を守ろうと運動し、対するヘンリー二世はそれを自分の支配下に置こうとした。

やがて対立は深まるところまで深まる。ベケットは法を犯したという理由で逮捕されてしまうが、フランスに脱出し、ローマ教皇にヘンリー二世の横暴を訴えた。

「間違ったことには賛成できない」

六年後、ローマ教皇のとりなしでヘンリー二世はベケットの帰国を許した。ベケットはカンタベリーに戻るや、本来自分が行なうはずのヘンリー二世の息子の戴冠式《たいかんしき》を勝手に行なったとして、ローマ教皇から授けられていた自分の権限を行使して、ヨーク大司教、ソールズベリー司教、ロンドン司教の三人を破門とした。

これにヘンリー二世は激怒し、臣下たちの前で「誰かあいつをどうにかできないのか」と叫ぶと、王直属の四人の騎士たちが動いた。

カトリックの教義よりも国王に忠実だった騎士たちはベケットのもとに行き、「教会は王に協力すべきです」と説いた。ベケットが「間違ったことには賛成できない」と断ると、騎士たちは頑《かたく》なな大司教に剣で応じる。ベケットは襲ってきた騎士たちに頭を砕《くだ》かれ、カンタベリー大聖堂は血に染まった。

ベケット暗殺の報は、すぐに国内はもとよりフランスやローマに知れわたった。**その死は殉死《じゅんし》とされ、人々はカンタベリー大司教の死を悼んだ。**

慌てたヘンリー二世は、暗殺が騎士たちの独断で行なわれたものだとし、自分は関与していないと言い張った。だが、世論はベケットの味方だった。ローマ教皇はベケットを聖人の列に加え、王に圧力をかけた。進退きわまったヘンリー二世は、とうとうベケットの墓に行き、跪《ひざまず》いて懺悔《ざんげ》したという。

その後、ベケット＝聖トマスは殉教者《じゅんきょうしゃ》として伝説の人物となった。誰が言い出したものなのか、人々はベケットの血には怪我《けが》や病気を快癒《かいゆ》させる奇跡の力があると信じ、カンタベリーにはヨーロッパ中のキリスト教徒が巡礼に訪れるようになったという。

ヒトラーも一目置いた非道なナチス高官の最期

ハイドリヒ暗殺事件（1942年）

その政治的手腕と謀略《ぼうりゃく》の才から、もしナチスドイツが存続していたら、ヒトラーの跡を継いで指導者になっていたのではないだろうかと言われているラインハルト・ハイドリヒ。

だが一九四五年四月三十日にヒトラーが自殺したあと、一時的にその跡を継いだのは宣伝相のゲッベルスや、海軍司令官のデーニッツで、ハイドリヒの姿はどこにもなかった。なぜならば、遡《さかのぼ》ること三年前の一九四二年六月四日、この人物は副総督として派遣されていたチェコで暗殺されていたからである。

「長いナイフの夜事件」もホロコーストも

ハイドリヒが生まれたのは一九〇四年三月七日。父は音楽家、母はザクセン王国の宮廷顧問官の娘であった。このためハイドリヒも幼い頃からヴァイオリンを嗜《たしな》んだ。

いっぽうで十代の頃から民族主義に傾倒し、反ユダヤ主義者になっていたともいう。

十八歳のときには海軍に入隊。海軍士官学校を経て士官となったが、女性関係で問題を起こし、軍法会議の末に海軍を除隊することとなった。

人生に転機が訪れたのは海軍除隊後の一九三一年だった。少年時代から反ユダヤ思想を持っていた**ハイドリヒはナチ党親衛隊の最高指導者であるヒムラーと出会い、ナチスに入党する**。以後は政権を獲得したナチスの親衛隊でヒムラーを補佐しながら出世の道を歩んでいく。警察や諜報《ちょうほう》機関の責任者となったハイドリヒの仕事は、さまざまな政治工作や謀略だった。

一九三四年に起きた「長いナイフの夜事件」では、親衛隊の上部組織であり、党上層部もその掌握に手を焼いていた突撃隊の幹部たちを粛清した。一九三九年にドイツがポーランドに侵攻する前日には、ポーランド軍人に扮装《ふんそう》させた部下たちにドイツ領内のグライヴィッツにあるラジオ局を襲撃させ、ドイツがポーランドに宣戦布告する口実をつくるなど、工作や謀略における鮮やかな手並みはヒトラーやヒムラーですら一目置くものであった。

反ユダヤ主義のハイドリヒはユダヤ人問題でも恐るべきリーダーシップを発揮した。

手榴弾で破壊されたハイドリヒのメルセデス・ベンツ

一九四二年のヴァンゼー会議では、**ハイドリヒの主張に沿ってユダヤ人の絶滅が決定された。**ホロコーストは、いわばハイドリヒの頭から生まれたものであった。

ヒトラーの地位を脅かしかねなかった男

一九四一年九月、ハイドリヒはヒトラーからチェコ（ベーメン・メーレン保護領）の副総督になることを命じられる。プラハに入ったハイドリヒは強権を振るってナチスに従わなかったり反抗的だった人間を拘束、処刑する。かたや労働者階級に対しては優遇策をとって、チェコ統治の安定化をはかっていく。これに対し、**イギリスにあ**

ったチェコ亡命政府とイギリス軍はハイドリヒを危険視し、ひそかに暗殺計画を立案、工作員をプラハ近郊に潜入させた。

一九四二年五月二十七日、ハイドリヒ暗殺の実行メンバーはプラハ市内を走るハイドリヒの車を待ち伏せし、これに手榴弾《しゅりゅうだん》を投げつけた。ハイドリヒは即死はしなかったものの、腹部や肋骨《ろっこつ》を負傷し、病院に運ばれた。

手術が行われ、体内に入った金属片などが取り除かれた。しかし、その後は感染症を発症し、襲撃から八日後の六月四日に死亡した。遺体はベルリンに運ばれ、五日後の六月九日に国葬が営まれた。

ハイドリヒ暗殺の成功により、チェコ亡命政府は帰属問題で揺れていたズデーテン地方の領有権を得ることとなった。

もしハイドリヒが暗殺されずに生き続けていたら、ナチスドイツはどうなっていたか。ハイドリヒが直接指揮することで、ホロコーストはさらに激しいものになっていたかもしれない。内心ではヒトラーやヒムラーに心服《しんぷく》していなかったというハイドリヒは、あるいは彼らを暗殺して総統の地位を狙ったという可能性もある。敵だけでなく味方にとっても油断のできない危険な男。ハイドリヒとはそういう人物だった。

「明日は殺されるかもしれない」の予言は的中

ベニグノ・アキノ暗殺事件（1983年）

古今東西、暗殺された人物には命を狙われるだけの理由があった。つまり、暗殺というものは偶然ではなく必然の産物といえる。

暗殺された人のなかには、青天《せいてん》の霹靂《へきれき》としか言いようのない死を迎えた人もいるだろうが、実はほとんどの人物は、いつか自分は暗殺されるのではなかろうかという思いを抱えていたのではなかろうか。

なかには、自分がいつどこで殺されるかわかっていた人すらいた。フィリピンの政治家であるベニグノ・アキノがその人だ。

危険覚悟でフィリピン帰国を決めたアキノ

アキノは一九三二年の生まれ。政治家の家に生まれたアキノは、成長するとジャーナリストとなり、ラモン・マグサイサイ大統領政権下で大統領国防相顧問を兼任した。

弱冠《じゃっかん》二十二歳でコンセプシオン市の市長となり、その後はタルラック州知事、所属する自由党の幹事長職などを歴任。一九六七年、三十五歳のときには、フィリピン国内史上最年少での上院議員当選を果たした。

上院議員として国政に携わるようになったアキノだが、その任期は五年、わずか一期で終わってしまった。一九七二年、政敵であるマルコス大統領に殺人や武器の不法所持、政府転覆の陰謀罪といった罪を着せられ逮捕されたからだ。

収監されたアキノには、一九七七年に死刑の判決が下る。だが、国民のアキノ支持もあって実際に刑が執行されることはなかった。

その後、アキノは病気の治療のためという理由でアメリカに送られることとなる。事実上の追放処分だった。

追放されたアキノは、国外からマルコス政権を批判した。

マルコス大統領は大統領当選時こそ国民の人気を得て大勝利を飾ったが、次第に独裁色を強め、さまざまな政策面で不興を買っていた。ことに特権をいいことにした国の財産の私物化は目に余るものだった。

そして一九八三年八月、国の状況を憂いたアキノはフィリピンへの帰国を決める。

アメリカを発《た》った彼は経由地である台湾に降り立つと、**台北のホテルで受けた日本のTBSテレビのインタビューに「たいへんなことが起きる」と述べた。**

「明日は殺されるかもしれない」

そう口にしたアキノは「事件は空港で一瞬のうちに終わる」と付け足した。

白昼堂々、テレビカメラの前で

八月二十一日、アキノを乗せた飛行機はマニラ国際空港に着陸した。機内にはＴＢＳや米ＡＢＣなどの取材班もいた。飛行機のドアが開くと、兵士たちが乗り込んできて、アキノだけに降りるように告げた。アキノは記者たちに「カメラを回し続けてくれ」と頼んだ。

アキノが機外へ出た直後だった。外から銃声が聞こえた。カメラマンたちは窓の外へとカメラを向けた。そこには地面に倒れているアキノの姿があった。

アキノは本人が予言したとおり、空港に着くや一瞬で暗殺されてしまったのだ。

アキノの死について、フィリピン政府は、犯人は軍や政府とは関係のないゲリラ組織の人間であると発表した。

カメラマンたちが撮影した映像には、銃撃の瞬間すら捉《とら》えていなかったが、兵士たちの「撃て」という音声などさまざまな証拠が残されていた。

事件から一週間後、TBSはアキノ暗殺をさまざまな角度から検証した特別番組を放送した。番組の反響は凄まじかった。これを見ればアキノ暗殺が体制側の犯罪であることは明白であった。フィリピン国内には海賊版のビデオが出回り、国民の間でマルコス政権への組織的な反対運動が始まった。

三年後、アキノの未亡人のコラソン・アキノが大統領選に出馬した。選挙戦はマルコスの勝利と報じられたが、大半の国民は信じなかった。フィリピンの人々は独裁者の退陣を求め、これに軍の改革派も呼応して、とうとう革命が起きた。マルコスは政権を失い、アメリカに亡命した。

その後、コラソン・アキノは大統領となり、一九九二年の任期満了までその職を全《まっと》うした。彼女とアキノの息子であるベニグノ・アキノ三世も二〇一〇年六月から二〇一六年六月までの六年間、フィリピンの大統領を務めた。アキノは自らの命とひきかえに、妻や息子に大統領の椅子を託したのだった。

ハリウッド映画さながらのテロリスト暗殺劇

オサマ・ビンラディン暗殺作戦（2011年）

国家が威信《いしん》にかけて一人の人物を大掛かりな軍事作戦によって暗殺する。まるで映画や小説の世界の話のようだが、実際にそれが行なわれたのがアメリカによるオサマ・ビンラディンの殺害だった。

姿を消したアルカイダ指導者

二〇〇一年九月十一日の**アメリカ同時多発テロ事件で、首謀者と目されたテロ組織・アルカイダ指導者のビンラディン**は、事件後、「自分は事件とは関係ない」という声明を発表したあと姿を消した。

アメリカはビンラディンを匿《かくま》っているアフガニスタンのタリバン政権に身柄引き渡しを要求したが、タリバンはこれを拒否。アメリカは「テロとの戦い」と称して有志連合を組織してアフガニスタンを攻撃、タリバン政権を崩壊させた。次いでイラクのフセイン政権も打倒。しかし、ビンラディンの消息は一向につかめなかった。

アメリカ政府はブッシュ政権からオバマ政権に変わってもビンラディンの追跡をあきらめなかった。

テロから九年後の二〇一〇年、CIA（中央情報局）はとうとうビンラディンの部下である連絡係を発見し、その行動を分析した結果、パキスタンのアボッターバードにビンラディンが潜伏《せんぷく》していることを突き止める。アルカイダの指導者は、家族とともに高い壁と有刺《ゆうし》鉄線《てっせん》で囲まれた三階建ての豪邸で暮らしていた。

海軍特殊部隊に急襲され、水の中へと葬られる

二〇一一年五月二日夜、オバマ大統領から許可を受けたアメリカ海軍の特殊部隊がビンラディンの隠れ家を襲撃した。

深夜、ヘリコプターからロープで降下した十五名の特殊部隊隊員たちは母屋に侵入。これに気づいたビンラディンの護衛たちとの間で銃撃戦となった。そして特殊部隊はビンラディンと思わしき人物を発見すると銃撃を加え、頭部を撃って殺害した。のちに作戦に参加した元隊員によると、このとき**ビンラディンは一緒にいた女性を盾《たて》にし**

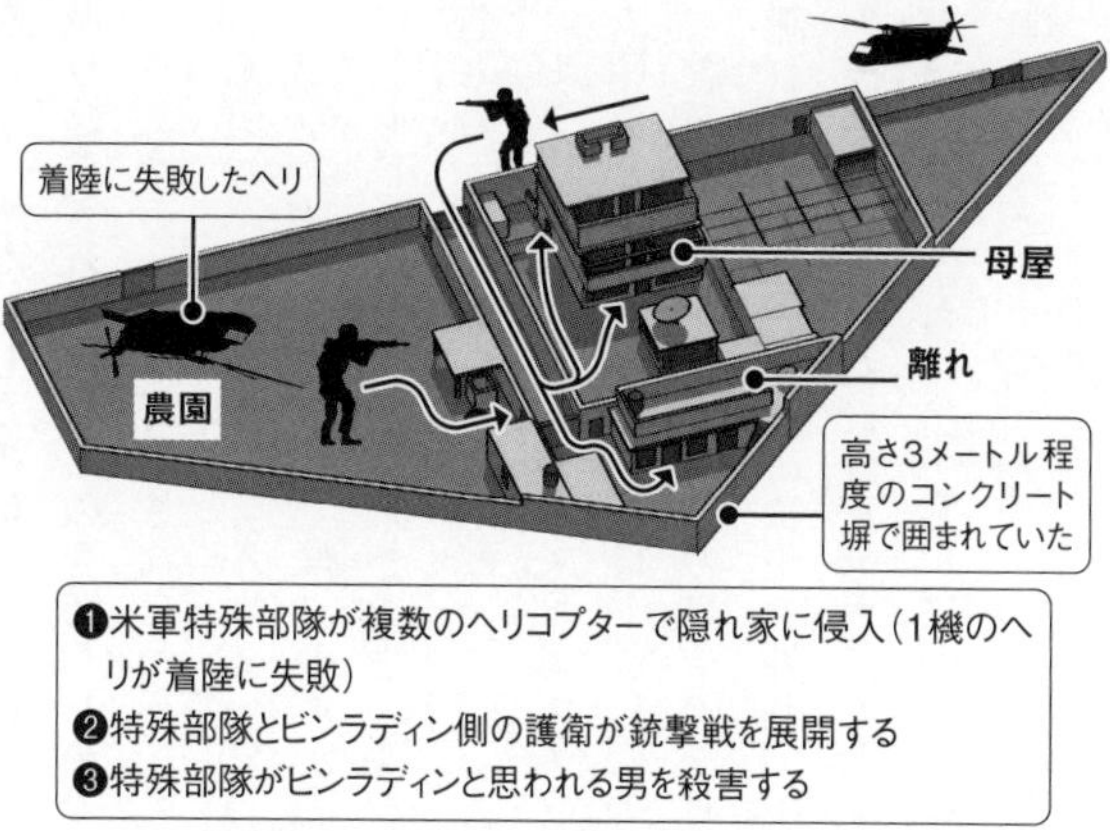
着陸に失敗したヘリ
母屋
離れ
農園
高さ3メートル程度のコンクリート塀で囲まれていた
❶米軍特殊部隊が複数のヘリコプターで隠れ家に侵入（1機のヘリが着陸に失敗）
❷特殊部隊とビンラディン側の護衛が銃撃戦を展開する
❸特殊部隊がビンラディンと思われる男を殺害する

このビンラディン邸で銃撃戦はくり広げられた

て逃げようとしたという。

この奇襲《きしゅう》作戦でビンラディン側は、本人や息子を含め五人が死亡し、妻や親族など生き残った十七人が拘束された。

作戦の状況はリアルタイムでアメリカ本国にも報告され、オバマ大統領やバイデン副大統領、クリントン国務長官、ゲーツ国防長官、マレン統合参謀本部議長らが固唾《かたず》を呑《の》んでそれを見守った。

作戦は成功に終わった。特殊隊員たちに犠牲者はなく、持ち去られたビンラディンの遺体はDNA鑑定の結果、本人であることが確認された。その後、遺体はアラビア海に浮かぶ空母《くうぼ》カール・ヴィンソンに移送されて水葬《すいそう》にされた。理由は公表されていないが、**水葬にしたのは土葬によって埋葬地がテロリストの聖地と化したり、遺体が掘り起こされたりするのを防ぐためではないかと言われている。**

ビンラディンが暗殺されたとき、アメリカはまだ五月一日であった。日付が変わるのも近い二十三時半、オバマ大統領は記者会見を開いて作戦の成功を発表した。

このニュースに全米で歓喜の声が沸《わ》いた。深夜にもかかわらず9・11の現場であるワールドトレードセンター跡地には人々が集まり、テロの犠牲者にこのニュースを報告したという。

ビンラディンを首尾よく暗殺したアメリカだったが、その後もアルカイダやイスラム国などテロ組織との戦いが続いたのは誰もが知るところだ。

数人いたビンラディンの息子のうちの一人、ハムザ・ビンラディンは、作戦当時は離れた場所にいたために生き残り、アルカイダの幹部として活動した。ビンラディンの後継者となった彼はビデオメッセージなどで信者たちにテロを呼びかけていたが、二〇一七年から二〇一八年にかけて行なわれたアメリカ軍の掃討《そうとう》作戦で死亡したとされている。

刺客の刃に逃げ惑った若き秦王

始皇帝暗殺未遂事件
（紀元前２２７年）

中国を初めて統一したことで知られる秦の始皇帝《しこうてい》こと嬴政《えいせい》（紀元前二五九年～紀元前二一〇年）。彼が秦王《しんおう》に即位したとき、中国は秦を含む七つの国が競う戦国時代にあった。嬴政は紀元前二三六年に隣国の趙《ちょう》と戦端《せんたん》を開くと、次々に他の国を滅ぼし、十五年後の紀元前二二一年には中国を統一し、「皇帝」と名乗るようになった。

生涯わたって暗殺の危機にさらされた皇帝

驚異的なスピードで中華世界の覇者となった始皇帝だが、その存在の大きさゆえに生涯には幾度《いくど》かの暗殺の危機があった。なかでも『史記《しき》』などを通じてよく知られているのが、まだ中国統一前の紀元前二二七年に起きた荊軻《けいか》による暗殺未遂《みすい》事件だ。

荊軻は、現在の河南省にあった衛《えい》の国の出身。文武に秀《ひい》でた少年で、若い頃は諸国を修行してまわったが、あまりに雄弁《ゆうべん》すぎたためか衛の王である元君には嫌われてしまった。そのため希望していた役人になれず、しばらくは遊興《ゆうきょう》に浸《ひた》って憂《う》さを晴らしていたという。そんな荊軻に目をつけたのが燕《えん》の国の有力者である田光《でんこう》だった。田光が故国《ここく》で活躍の場がなく燕に流れてきた荊軻の才を買って食客《しょっかく》とすると、荊軻は燕の王族である太子《たいし》丹《たん》と知り合うこととなった。

丹は子どもの頃、強国だった趙で人質として暮らしたことがあった。そこには秦からやはり人質として来ていた嬴政がいた。似たような境遇の者同士、二人はすぐに親しくなった。ところが、**長じてから丹が秦を訪問してみると、かつての仲はどこへやら、嬴政は丹をあからさまに見下して冷遇するではないか。**丹の驚きは、燕に帰るや嬴政に対する敵愾心《てきがいしん》に変わった。

そこに秦の将軍である樊於期《はんおき》がやってきた。樊於期は嬴政から不審に思われ、燕まで逃げて来たのである。樊於期を匿えば国と国との関係が悪化する。戦争は困るが、いっぽうで嬴政を嫌悪《けんお》している丹は、同じように嬴政に恨みを抱いている樊於期を救いたいと考えていた。思いは、やがて「嬴政を殺せばいい」という考えに至った。

そこで相談相手となったのが、田光から紹介された荊軻だった。頭の回る荊軻は、嬴政に近づくためには燕の領土と樊於期の首を差し出す必要があると説いた。領土はともかく樊於期を死なせることに丹は抵抗を覚えたが、当の樊於期がこの条件を飲んだ。「嬴政の暗殺がかなうなら、この命を投げ出しましょう」と樊於期は潔《いさぎよ》く自害した。

中国統一を早める結果となった暗殺未遂事件

首となった樊於期と丹の願いを胸に、荊軻は自ら秦の首都である咸陽《かんよう》に行き、嬴政に謁見《えっけん》した。嬴政は自分を裏切った樊於期の首に満足し、荊軻に割譲《かつじょう》する領土の地図を自分に見せるように命じた。これぞ荊軻が待っていた瞬間だった。

嬴政に近づいた荊軻は地図に隠していた短刀を抜くと、嬴政の袖《そで》をつかんで襲いかかった。勢いあまってか袖が引きちぎられたため、嬴政はかろうじて刃から逃れた。嬴政は自ら剣を抜こうしたが、このときは追いかけてくる荊軻から逃げるのが精一杯だった。

声にならない悲鳴をあげて柱のまわりを逃げ惑う嬴政。そこには王の尊厳も何もなかった。下座にいた臣下たちは慌てふためいて外にいる兵士を呼んだ。王の前では何人たりとも武器を持っていてはいけないといううきまりがあったため、重臣たちは荊軻と戦うことができなかったのである。

それでも夏無且《かむしょ》という侍医《じい》が薬袋を荊軻に投げ、その動きを邪魔した。わずかに生まれたその隙に嬴政は剣を抜き、荊軻の足に一振りした。傷を負った荊軻はバランスを崩しながらも短刀を嬴政めがけて投げたが、すでに運に見放されていたか、短刀は嬴政をかすめただけで後ろの柱に刺さった。

暗殺の失敗に、荊軻は笑ったという。そして笑ったまま駆けつけた兵士たちに斬り刻まれ死んだ。

あと一歩のところで未遂に終わった暗殺。もしここで嬴政が死んでいたら、その後の中国は統一までにさらに時間を費やしていたに違いない。ひょっとすると、統一されることなく、現代を迎えていた可能性もわずかながらだがある。そうなれば世界の歴史は大きく変わっていたことだろう。

実際の歴史は、これによって加速した。怒りに燃えた嬴政はその年のうちに燕を攻めた。紀元前二二六年、燕王は暗殺の首謀者である息子の丹を殺害して嬴政に送ったが、嬴政の怒りは鎮《しず》まらなかった。四年後の紀元前二二二年、遼東《リャオトン》に逃げていた燕王は秦によって捕縛され、約八百八十年続いた燕は滅亡するのである。

故国の危機に独裁者暗殺に挑んだドイツの軍人たち

ヒトラー暗殺未遂事件（1944年）

人類史上、もっとも暗殺計画のターゲットにされた人物といえば、アドルフ・ヒトラーではなかろうか。一個人による暗殺未遂から組織的で大掛かりなものまで含めると、その計画は四十以上あったという。

国防軍のなかに生まれた「黒いオーケストラ」

ナチスドイツというと一国民に至るまでヒトラーに絶対の忠誠を尽くしたかのようなイメージがあるが、この暗殺計画の数を見ると、けっしてそんなことはなかったということがわかる。とくに国防軍のなかには、ヒトラーの独裁に疑問を抱いている者が少なくなかった。

それが顕在化したのが一九三八年のズデーテン併合であった。他国の領土を自国のものとし、それを批判するイギリス、フランスを相手に戦争も辞さないヒトラーの姿勢に当時のドイツ陸軍参謀総長のルートヴィヒ・ベックは危機感を抱き、同じ考えを持つ反ナチス派の軍人たちを集めて最初の反乱計画を練った。以後、のちに秘密国家警察のゲシュタポから「黒いオーケストラ」と呼ばれることになるグループはそのメンバーを増やしながらヒトラー暗殺の機会を窺うこととなる。

ヒトラーは呆れるほど強い悪運の持ち主だった。一九三九年に第二次世界大戦が始まると反乱派の将校たちは幾度か暗殺計画を立案、ときには実行したが、**そのたび仕掛けた爆弾に不具合があったり、突然の予定変更などで未遂に終わった。**

幾度もの暗殺失敗。そうするうちにドイツ軍は窮地《きゅうち》に追い詰められていった。東部戦線ではソ連軍を相手に後退を繰り返し、西でも連合軍のノルマンディー上陸を許してしまった。このままでは祖国は挟み撃ちとなって蹂躙《じゅうりん》されてしまう。ベック以下のメンバーたちは早くヒトラーを暗殺して、ソ連に比べれば話の通じそうなアメリカやイギリスと講和交渉に入りたいと考えた。そこで会議中のヒトラーとその側近たちを時限爆弾で一気に葬り去る暗殺計画を練ったのである。

最後までヒトラーの「悪運」に勝てず

ノルマンディー上陸から約七週間後の七月二十日、計画は実行された。実行役となったのはドイツ陸軍国内予備軍司令部参謀長《さんぼうちょう》のシュタウフェンベルク大佐だった。大佐はアフリカ戦線の戦いで右手や左目を失っており、そのためあまり警戒されずにヒトラーに近づくことができた。

暗殺事件の舞台となったのは、東プロイセンにある「狼《おい》の巣《す》」と呼ばれる総統大本営だった。ここで開かれる作戦会議の場で、シュタウフェンベルク大佐はテーブルの下に時限《じげん》爆弾の入った鞄《かばん》を置き、自分はベルリンに電話をかけると部屋から出て行った。

爆弾は、**ヒトラーのいるその会議室で爆発した。だが、ヒトラーは軽傷を負っただけで死ぬことはなかった。**シュタウフェンベルク大佐は実行に際して致命的なミスを犯していた。実は爆弾は二つ用意してあったのだが、直前の準備段階で邪魔が入り、一個しか鞄に詰めることができなかったのである。そればかりか、本当は地下室で行われる会議は、地上の木造家屋で開かれた。密閉空間と窓のある地上の建物とでは同じ爆弾でも威力に差が出る。他にも爆発の直前に鞄の位置がずらされるなど不運が重なった。このため、ヒトラーは助かってしまったのだった。

暗殺計画は失敗に終わり、同時に予定されていたクーデター計画も不発に終わった。シュタウフェンベルク大佐はじめ計画の実行メンバーやその加担者たちは即決裁判でその晩に銃殺となり、その後も約二百名が捕らえられ処刑された。粛清の嵐はドイツ敗戦の直前まで続き、事件とは無関係の反ナチス派の人々も含めて七千名あまりが逮捕された。アフリカ戦線の英雄であるエルヴィン・ロンメル元帥も一派の仲間とされ、強要された末に服毒死《ふくどくし》した。計画の中心人物であったベックはベルリンで逮捕されると自決した。

この事件を境に反ナチス派は一掃された。しかし、ヒトラー自身の命運も尽きかけていた。事件から九ヶ月後、ヒトラーはソ連軍の砲弾が落ちるなか、ベルリンの総統地下壕《ごう》内で自殺することとなった。

戦後、ヒトラー暗殺計画のメンバーはドイツ国内では英雄視されるようになった。計画は失敗に終わったが、その勇気と行動はいまもドイツの人々に称賛されているのである。

第4章

こんなことが正当化できるのか!?

——陰謀はこうして明るみに

大化の改新の幕開けとなった大事件

乙巳の変
―蘇我入鹿暗殺事件（645年）

「母の前で奴を殺せというのか？」

乙巳《いっし》の変（六四五年）の前夜、まだ二十歳に満たない中大兄皇子《なかのおおえのおうじ》（のちの天智《てんじ》天皇）には、そんな迷いがあったかもしれない。この時代、国政の権力は蘇我氏に握られていた。蘇我馬子の孫である入鹿《いるか》は、祖父や父の跡を継いで大臣となり、蘇我氏の権力をさらに強固にするため、女性天皇である皇極《こうぎょく》天皇の次の天皇に、自分の従兄弟である古人大兄皇子《ふるひとのおおえのみこ》を据えようとしていた。だが、皇極天皇には亡き舒明《じょめい》天皇との間に息子がいた。それが中大兄皇子であった。

偶然の出会いで始動した暗殺計画

そんな蘇我氏に対し、「変」を企てた者がいた。中大兄皇子の側近である中臣鎌足《なかとみのかまたり》である。二人が出会ったのは、飛鳥寺で開かれた蹴鞠《けまり》の会であった。

このとき、鞠を蹴った勢いで中大兄皇子の沓《くつ》が飛んでしまった。それを拾った鎌足が跪いて沓を差し出したところ、中大兄皇子も同じように跪いて受け取った。位は中大兄皇子の方が高いが、中臣氏は祭祀《さいし》を司る格式の高い家であった。また鎌足は皇子よりひとまわり歳が上で、学僧《がくそう》として名高い南淵請安《みなぶちのしょうあん》の塾では入鹿と並ぶ秀才であったことから、中大兄皇子も敬意を表したのかもしれない。

偶然の出会い。しかし、それは打倒蘇我氏を考えていた鎌足の策だったのではないかと言われている。鎌足をはじめ、**当時の貴族たちは皆、蘇我氏の圧迫を受けており、それを不服とする者が多かった。**その急先鋒《きゅうせんぽう》が鎌足であったのだ。

母の前だからこそ決行できた!?

大臣である蘇我入鹿を倒すには、相応の大義名分がいる。鎌足が考えたのは「天皇中心の政治」であった。国政を天皇の手に戻すのである。

そのためには天皇になる権利を持った者を仲間にする必要があった。そこで鎌足が目をつけたのが、舒明天皇と皇極天皇、そして二人の天皇の血を引く中大兄皇子だった。

中大兄皇子もまた蘇我氏には含むところがあった。入鹿がいる限り、自分が天皇になることはなく、邪魔と見なされれば殺される可能性もある。事実、この**二年前に入鹿は用明天皇の血を引く山背大兄王《やましろのおおえのおう》（厩戸皇子の息子）を自害させていた**。二人は入鹿暗殺の計画を練り、朝鮮半島の高句麗《こうくり》、新羅《しらぎ》、百済《くだら》の三国が天皇に献上品を捧げる「三韓進調《さんかんしんちょう》の儀」に、刺客を差し向けてそれを決行することにした。

しかし、母である皇極天皇の前で殺傷沙汰《さつしょうざた》を起こしていいものか。ことによっては母にも危害が及ぶのではないか。さすがに中大兄皇子も迷った。

「王（天皇）の前だからこそ、殺せるのです」

鎌足は意を強くして言った。**天皇のいる神聖な儀式場では大臣の入鹿とて腰《こし》の剣を外さねばならない。このときを置いて蘇我氏を倒す機会はない**。そしてこう続けた。

「ここで入鹿を倒さねば、やがて蘇我氏は天皇にとってかわるでしょう」

中大兄皇子は頷《うなず》いた。そして儀式の当日、入鹿の堂々たる佇《たたず》まいに躊躇した刺客にかわり、自ら入鹿に剣を振るったのである。

突如斬りつけられた入鹿は、皇極天皇の仕業と思い、「どうしてです？」と天皇に迫った。だが、それも束の間、皇子や部下の刺客たちにとどめを刺された。最後に入鹿が放った言葉は「**臣、罪を知らず**（自分はなにも悪くない）」。この修羅場《しゅらば》において、皇極天皇はただ呆然《ぼうぜん》とそれを眺めていただけであった。一説には天皇と入鹿は男女の仲であったともされている。だとしたら、この暗殺劇は天皇にとって愛人と息子の間で起きたものということになる。

入鹿の死後、蘇我氏は滅び、中大兄皇子と中臣鎌足が主導する「大化の改新」が始まる。賢明なことに中大兄皇子はすぐには皇位には就かず、改革を先行させた。これによって、衰えていた天皇の力が増し、日本は律令国家の道を歩むこととなった。中臣鎌足は「藤原《ふじわら》」姓を賜《たまわ》り、その子孫は有力な貴族として朝廷を支え、平安期には栄華《えいが》を極めることとなった。

入鹿大臣（下）を討つ中大兄皇子（左）と中臣鎌足（右）

ことあろうに異国の王妃を……
閔妃暗殺事件（1895年）

一国の王宮に外国人の集団が乱入して王妃《おうひ》を暗殺する――。常識を語るまでもなく、近代的な国家間の関係においてそんなことはあってはならない。しかし、それをしでかした国があった。他ならぬ日本である。

ときは一八九五年十月八日の明け方、朝鮮の首都・漢城《かんじょう》にあった**日本公使館の守備兵や警察官を中心とする数十人の男たち**が、朝鮮の王宮である景福宮《けいふくきゅう》に突入した。そして王宮の守備隊を突破し、宮殿内に入ると、**朝鮮王・高宗《こうそう》の王妃である閔妃《びんひ》を殺害したの**である。本来、夜陰《やいん》に乗じてひそかに行なうはずの暗殺劇は、宮中に居合わせた外国人の目にもとまり、国際的なニュースとなった。公使館守備兵たちに閔妃暗殺を直接命じたのは、陸軍中将で在朝日本公使の三浦梧楼《みうらごろう》であった。

三浦はなぜ王妃の暗殺という大それた計画を実行したのか。その背景にあったのは朝鮮半島をめぐる当時の国際情勢だ。

「恐露病」に取り憑かれていた日本人

一八九四年七月から翌年四月にかけて起きた日清戦争は、日本と清国が朝鮮を奪い合う戦争であった。勝利した日本は、それまで清の属国《ぞっこく》であった朝鮮を独立させた。といっても、真の狙いは自国の影響下に置くことにより、日本にとって最大の脅威であるロシアの南下を防ぐことであった。

しかし王妃は日本の支配を嫌った。当時、閔氏は政権を追われていたため、閔妃はロシアと結び、その軍事力を後ろ盾に反乱を起こして政権を奪還した。日本側はロシアから引き離すべく閔妃を懐柔《かいじゅう》しようとしたが、王妃は反発を重ねた。朝鮮がロシアのものになることは、「恐露病《きょうろびょう》（ロシアに対する異様なまでの恐怖）」に取り憑《つ》かれていた当時の日本人にとって最悪のシナリオだった。そこで三浦は、高宗の父である前国王の大院君《たいいんくん》と結んで閔妃暗殺を企てたのだ。

暗殺犯に対して「よくやった」？

暗殺がひそかに人を殺《あや》めるものだとすれば、あまりにお粗末な派手すぎる暗殺ではあったが、ともかくも**三浦たちは閔妃暗殺に成功した。これに対し、国際社会からは当然のごとく非難の声があがったが**、日本では話が違った。

ロシアが朝鮮を支配すれば、日本はもちろんアジア全体がその侵略を受けることとなる。よって日本に歯向かってロシアに協力する閔妃を排除することは、日本を守る上で絶対に必要なことである。**日本ではこうした論調が中心で、国民も三浦たちを裁くどころか、むしろ「よくやった」と英雄視する始末だった。**現代的な感覚で見れば、この頃の日本人はずれていたと言わざるを得ない。自分たちの利益以外は考えず、どんな間違った行ないでも手前勝手な理屈で正当化していたのである。

閔妃暗殺によってロシアの南下は防げたのか。答はノーであった。ロシアはこれを機にさらに朝鮮に触手を伸ばし、最終的には日本人がもっとも恐れていた戦争（日露戦争）に発展したのである。

しかも、朝鮮の民衆の間に反日意識を根付かせ、「国母復讐《こくもふくしゅう》」を合言葉とする反日闘争を呼んでしまった。これらのことを考えると、閔妃暗殺は外交問題の解決手段としては悪手《あくしゅ》であったと言わざるを得ない。

疑い深すぎる兄（頼朝）を持った弟の悲嘆

源範頼暗殺事件（１１９３年）

平安時代末期、平家打倒を目標に旗揚げした源頼朝のもとには、平家の目を逃れて身を潜めていた弟二人が馳《は》せ参じた。一人は源義経《よしつね》。もう一人が源範頼《のりより》だ。

頼朝、範頼、義経は、いずれも源義朝《よしとも》の子である。頼朝は三男、範頼は六男、義経は九男。当時、武家の弟が兄に従うのは当然であったが、この三人の場合はとくに頼朝が嫡男《ちゃくなん》（正妻《せいさい》の子）であったのに対し、範頼と義経は庶流《しょりゅう》（正妻以外の子）であったため、三人の関係は兄弟である以上に主従のそれに近かった。

頼朝の代理として戦った総大将

範頼が生まれ育ったのは遠江国の池田宿《いけだのしゅく》。母は遊女《ゆうじょ》だったというが、実のところ池田宿の有力者の娘であったらしい。父・義朝や他の兄弟たちと離れて暮らしていたこともあり、幼少期の範頼がどう育ったかは定かではない。わずかに伝わるのは、十歳を過ぎた頃から公家である藤原範季《ふじわらののりすえ》の養育を受けたということくらいだ。

歴史にはっきりとその名が登場するのは一一八三年、常陸《ひたち》に勢力を置く志田義広《しだよしひろ》と頼朝の軍勢が戦った野木宮《のぎみや》の戦いまで待たなければならない。このときはすでに、範頼は頼朝麾下《きか》の一部将として周囲からも認められていた。おそらく範頼は、兄の挙兵を知り、どこかの時点でその列に加わったのだろう。

一一八四年になると、範頼は源義仲《よしなか》追討の大将軍に任命される。大将軍は兄・頼朝の代理であり、全軍の総司令官である。が、この戦いで範頼は血気《けっき》にはやって他の武将たちと先陣を争うという、およそ大将軍に似つかわしくない行動をとり、頼朝から厳しく叱責《しっせき》されてしまう。

これで学んだのか、以後の**平家との合戦において、範頼は大将軍にふさわしい働きを見せる**。派手な戦いは搦《から》め手《て》の軍を任された弟・義経に任せ、自分は総大将として常に主力軍の中央にいた。義経に比べると英雄伝説に乏しいのは、範頼が大将軍という自分の役目に徹したからといえる。

義仲追討の際の先陣争いの逸話を除けば、伝えられる範頼の人物像は穏やかなものだ。パフォーマンスの目立つ義経が頼朝に睨まれそうになると、常に間に入って義経を擁護《ようご》していたともいう。そういう点ではバランス感覚に富む人物だったといえる。だが、その優しさが結果的には仇となった。

兄の妻を励ましたその一言が命取りに

鎌倉幕府樹立後の一一九三年、頼朝が駿河国《するがのくに》の富士野《ふじの》で巻狩《まきが》りを行なったときのことだ。巻狩りの最後の日、いまに知られる「曾我《そが》兄弟の仇討ち（曾我祐成《すけなり》と曾我時致《ときむね》の兄弟が父の仇である工藤祐経《くどうすけつね》を討った事件）」が起きた。

事件の報はすぐに早馬《はやうま》で鎌倉にもたらされた。どこでどう話がねじれたのか、鎌倉に伝わったときには工藤祐経だけでなく頼朝も討たれたということになっていた。

このとき、鎌倉にいた範頼は、すぐに御所に駆けつけ、動揺する頼朝の妻・政子をこう励ました。

「ご案じ召されるな。万一、兄上の身に何かあろうと、源氏にはこの範頼がおります」

ほどなくして、鎌倉に頼朝の無事が伝わった。だが、事態は一件落着とはならなかった。

「範頼は、この頼朝にとってかわりたいと考えているのか」

範頼の発言を知った頼朝は、持ち前の疑い深さを発揮して弟の謀反を疑った。

この四年前、すでに義経を葬り去っていた頼朝である。範頼はすぐに誓紙《せいし》を差し出して忠誠を誓った。だが、今度はその誓紙で源氏姓を名乗っていることが問題となった。「庶流の弟の分際で嫡流の兄に向かって源氏を名乗るとは何事か!」

ほとんど難癖《なんくせ》だった。ほどなくして範頼は修禅寺に流罪《るざい》と決まった。兄の冷酷な一面を知っている範頼は、諾々《だくだく》とそれを受け入れた。あるいは範頼は、これが流罪で済まぬことを知っていたかもしれない。『北条九代記《ほうじょうくだいき》』や『保暦間記《ほうりやくかんき》』などの後世の史書によると、範頼は流罪後すぐに梶原景時《かじわらのかげとき》や仁田忠常《にったただつね》の手で暗殺されたとある。

しかしながら、範頼はあっけなく世を去ったのだろうか。実はそこには異説もある。範頼は兄の謀略を察知して、修禅寺を脱出したかもしれないというのである。事実、埼玉県の吉見町《よしみまち》や北本市《きたもとし》、愛媛県の伊予市《いよし》などには、頼朝から逃れてきた範頼にまつわる史跡がいまも残っている。

戦功のあった弟たちを次々と排除した頼朝。その報いか、源氏の嫡流は三代将軍・実朝の代で途絶えることとなる。

双六遊びに夢中になって首をとられた関東一の武将

平広常暗殺事件（１１８３年）

平治《へいじ》の乱の後、伊豆に流された源頼朝が打倒平家の兵を挙げたのは一一八〇年のことであった。

挙兵はしたものの、集めることができた兵力はわずか三百。石橋山《いしばしやま》の合戦で十倍もの兵を持つ平家方に大敗した頼朝は、命からがら船で安房国《あわのくに》（房総《ぼうそう》半島南部）に逃げ、再挙《さいきょ》をはかった。

頼朝はついていた。関東には頼朝の亡き父である源義朝を自分たちの棟梁《とうりょう》と仰ぐ武士が大勢いたからである。義朝は若い頃、関東に腰を据え、争いの絶えなかったこの地の武士たちをひとつにまとめた。平治の乱後、関東の武士たちは平家に従うこととなったが、内心、それを不服を感じていた者は少なくなかった。

上総《かずさ》に勢力を持つ平広常《たいらのひろつね》（上総広常《かずさひろつね》）もその一人だった。このとき広常は上総周辺を束ねる武士団の頭目《とうもく》として、関東一といっていい勢力を誇っていた。当時、同じ平姓とはいっても、枝分かれした各地の平氏は都の平家に忠誠を誓う者もいれば、自家の勢力拡大のために源氏と手を組む者もいた。広常の上総平氏は後者であった。

いっぽうの**頼朝にしても、広常は是《ぜ》が非《ひ》でも味方につけたい有力な武将であった。**

房総半島から武蔵へと移動し、ここを拠点とした頼朝のもとに、周辺の武士たちは次々と馳せ参じた。上総の隣国、下総の千葉《ちば》常胤《つねたね》もやって来た。しかし、広常だけはなかなか現れなかった。『吾妻鏡《あずまかがみ》』によると、広常は頼朝の力量を見定《さだ》めようとわざと遅参したとある（本当のところは敵対勢力を一掃するのに時間を要したとも言われている）。

態度の大きい不遜な人物

千葉常胤から遅れること十日、広常は二万という圧倒的な兵力を率いて頼朝の前に姿を見せた。後世に伝わるところでは、広常はその力の大きさからか、態度の大きい不遜《ふそん》な人物であったとされる。それが本当ならば、このときも「どうだ、来てやったぞ」といった顔で頼朝に会ったに違いない。

その広常を、頼朝は一喝した。

「なぜこんなに遅くなったのだ。お前はわしに仕える気がないのか」

背後に控える二万の兵を見ても動じない頼朝に広常は大将の器を感じた。

〈さすがは源氏の棟梁。我ら東国武士を束ねるのはこのお方しかいない〉

そう思った広常は平服《へいふく》し、以後は頼朝を支える御家人の一人となった。

「早まったことをした」

頼朝に仕えたとはいえ、広常の尊大《そんだい》な性格は、以後も直ることはなかった。あるときは頼朝の前で他の御家人たちが馬から下りたというのに、自分だけは「誰の前であろうが我が家は三代前からそんなことはしたことがないわ」と放言《ほうげん》して下馬しなかったという。それればかりではなく、なにかと他の御家人と悶着《もんちゃく》を起こしては、まわりの仲間をはらはらさせた。

これだけなら頼朝もまだ目を瞑《つむ》ることができたかもしれないが、**頼朝と広常の間には考え方の齟齬《そご》があった。**頼朝には平家を打倒して朝廷より国を任されたいという目標があった。しかし、広常は平家を討つよりもまずは関東の支配を盤石《ばんじゃく》なものにすることを重視した。たとえば奥州藤原氏が北で独立した勢力を持っていたように、関東もまた頼朝のもとで中央から独立すればいいと考えていたのである。そのため、富士《ふじ》川《かわ》の合戦で勝利したときも、すぐに上洛《じょうらく》をと考えた頼朝に広常は反対した。

頼朝にとって、広常は次第に邪魔な存在となってきた。そこで頼朝は腹心の梶原景時に「広常に謀反の疑いあり」と暗殺を命じた。

一一八三年、その日、広常は鎌倉御所で景時を相手に双六《すごろく》をしていた。遊びに興《きょう》じていた広常は、まさか自分の命が狙われているとは思っていなかった。その広常の首を、景時は素早く抜いた刀で掻き斬る。一瞬のことだった。このとき、広常の息子の能常《よしつね》も殺された。上総の地は千葉氏に与えられ、残る広常の一族は捕らえられた。

広常暗殺直後、その手によって書かれた文書が発見された。**そこにはただひたすら頼朝の武運を願う広常の思いが綴《つづ》られていた。**それを知った頼朝は「早まったことをした」と後悔したという。そのためか、暗殺の翌月には広常の冤罪《えんざい》を認め、一族を赦《しゃ》免《めん》している。もし広常が生き続けていたら、源平合戦《げんぺいかっせん》の行方はまた少し変わったものになっていたかもしれない。源氏が支配する関東と平家が支配する西国。日本はそんなふうに二つの政権が存在する国になっていた可能性もある。

暗殺と謀殺が繰り返された五世紀の大和政権

市辺押磐皇子暗殺事件（456年）

古代の日本を記した『日本書紀』や『古事記』を見ると、この時代は皇族《こうぞく》同士の暗殺劇が繰り返されていたことがわかる。

どうして皇族たちは殺しあったのか。彼らには共通して欲しいものがあった。すなわち天皇の座＝権力である。

聖帝と呼ばれた仁徳天皇ののちの世もまた、皇族同士の争いは絶えなかった。ことに血気盛んだったのは、仁徳天皇の孫の一人であった大泊瀬皇子《おおはつせのみこ》（雄略天皇《ゆうりやく》）だった。

競争相手を次々に排除した非情の皇子

大泊瀬皇子の父は第十九代允恭《いんぎょう》天皇、兄の一人は第二十代安康《あんこう》天皇であった。父の允恭天皇の治世《ちせい》は四十二年続いたいっぽうで、兄の安康天皇の治世はわずか三年で終わった。

なぜか。安康天皇は皇后の連れ子であった眉輪王《まよわのおおきみ》によって寝ているところを刺殺されたからである。実は安康天皇は皇后の前夫《ぜんぷ》、つまり眉輪王の実の父を謀殺していたため、それを知った眉輪王に復讐されてしまったのだ。

兄の死に激昂《げっこう》したのは大泊瀬皇子だった。

大泊瀬皇子は黒幕探しと称して、他にもいる坂合黒彦皇子《さかいのくろひこのみこ》や八釣白彦皇子《やつりのしろひこのみこ》などの兄たちを殺してしまった。

『日本書紀』では詰問《きつもん》する大泊瀬皇子に二人は口を閉ざすばかりだったからだと記されているが、実のところ、これは天皇の地位を狙っていた大泊瀬皇子が問答無用で競争相手を葬り去ったのではないかとも言われている。

そうした説のなかには、**眉輪王の行ない自体、当時は七歳だったという彼の年齢を考えると、あるいは大泊瀬皇子が裏で謀ったものではないか**と推理するものもある。

その眉輪王はというと、当然ながら大泊瀬皇子によって殺されている。

天皇の後継者であるがゆえに

邪魔な兄たちは排除した。しかし、大泊瀬皇子にはまだ始末しなければならない相手がいた。それが、従兄弟である市辺押磐皇子《いちのへのおしはのみこ》であった。市辺押磐皇子は第十七代履《りち》中《ゆう》天皇（仁徳天皇の長男）の皇子で、安康天皇は仁徳天皇の嫡孫《ちゃくそん》にあたるこの従兄弟を自分の後継者にと考えていたのだ。

自分が天皇になるには市辺押磐皇子を殺すしかない。しかし、兵を催すには大義名分がない。

そこで大泊瀬皇子が考えついたのは「狩り」に誘い出すことだった。この時代、高貴な身分の者にとっての狩猟は単なる食料獲得の手段ではなく、嗜みのひとつであり、物事の吉兆《きっちょう》を占うものでもあった。

「蚊屋野《かやの》（近江）の辺《あた》りに鹿や猪が群れをなしているそうです。鹿などはあまりに多くて雄の角《つの》が林のように見えるとか。狩りに行きませんか」

大泊瀬皇子は市辺押磐皇子に声をかけた。

市辺押磐皇子がそれをどう思ったかは定かではない。

実の兄たちを殺した従兄弟に警戒心を抱いていたのか、それとも自らの天皇即位を後押ししてくれる味方とみなしていたのか。いずれにせよ、市辺押磐皇子は「行こう」と返事をした。

狩猟の場となった蚊屋野で、市辺押磐皇子はあっけなく命を落とした。先を行く大泊瀬皇子の**「猪だ！」という声に、自分も前に出たところ、その背に大泊瀬皇子と配下の者たちの引いた矢が飛んできた**のだ。急所を射抜かれた市辺押磐皇子はその場で絶命した。それればかりか、供《とも》の者たちも全員討たれてしまった。

運を占う「狩り」は大泊瀬皇子にとっては「吉」となり、市辺押磐皇子にとっては「凶」となってしまったのである。

大泊瀬皇子は、その後すぐさま市辺押磐皇子の弟である御馬皇子《みまのみこ》の命も奪った。そして自らが第二十一代雄略天皇となった。

雄略天皇は、即位してからも皇子時代と変わらぬ行動力で、政権の力を強固なものにしていった。葛城《かつらぎ》氏や吉備氏など敵対化する豪族たちを屈服させ、あるいは滅ぼし、外交にも力を入れた。その下で、民は平穏に暮らすことができたという。

謀略家で闘争本能が強く好戦《こうせん》的な人物ではあったが、君主としては功績が勝る天皇であった。

関東軍の野望に排除された満州の権力者

張作霖爆殺事件（１９２８年）

昭和初期の中国大陸には、三つの大きな政治勢力が存在した。蔣介石《しょうかいせき》の国民党、毛沢東《もうたくとう》率いる中国共産党、そして満州に勢力を持っていた張作霖《ちょうさくりん》の奉天軍閥《ほうてんぐんばつ》である（※奉天は現在の瀋陽《しんよう》）。

自分たちにとって都合の悪い存在

奉天軍閥の総帥《そうすい》である張作霖は馬賊《ばぞく》の出身で、当初はロシアに協力してスパイ活動などを行なっていた。しかし日露戦争で日本側に寝返ると、それ以降日本の諜報活動に貢献した。やがて満州駐屯《ちゅうとん》の北洋軍を指揮下におさめると一大軍閥（奉天軍閥）を築き、一時は北京を支配するほどの勢力となる。それを経済面、資金面で支えたのが日本政府及び、現地の関東軍（※日本が権益を持つ遼東半島の関東州及び南満州鉄道の守備を受け持つ陸軍の総軍）であった。

日本としては、張作霖の奉天軍閥をなんとか傀儡《くぐつ》化して満州支配を進めたかった。反日感情を持つ者も多い満州では、表向きの支配者は現地の人間である方が都合がよかったからである。

張作霖はその日本のもくろみを知りつつ、親日派の顔をして援助を受け続けていた。いっぽうで、**日本の送り込む軍事顧問団などの言うことは聞かず、軍事的、政治的な干渉はことごとく拒絶した**。

こうなると日本側も張作霖と奉天軍の扱いについて考えざるを得なくなる。そこで関東軍司令官の村岡長太郎《むらおかちょうたろう》中将が思いついたのが「暗殺」であった。村岡中将は部下の河本大作《こうもとだいさく》大佐に満州支配の邪魔となった張作霖の殺害を命じた。

折《おり》しもこの頃、奉天軍は蔣介石の北伐《ほくばつ》軍との戦いに敗れて北京《ペキン》を失うこととなった。張作霖は本拠である満州に引き揚げて、捲土重来《けんどちょうらい》を期すこととした。関東軍はそこを狙った。

「やったのは日本軍だ」

一九二八年（昭和三年）六月四日、張作霖ほか奉天軍閥の面々を乗せた特別列車が

大がかりな爆殺——列車は狙われた

奉天近郊の皇姑屯《こうことん》駅近くにある三洞橋《サムドン》を通過した。その瞬間、張作霖がいた八両目を巻き込む形で爆発が起きる。列車は脱線して転覆《てんぷく》。頭部その他を負傷した張作霖は部下たちとともに列車から脱出したが、ほどなくして息絶えた。最期の言葉は「やったのは日本軍だ」だった。

関東軍としては見事に目的を達成した。これに乗じて一気に満州支配を推し進めたいところであったが、そうはいかなかった。

事件直後、関東軍はこれを国民党軍など張作霖の敵対勢力の犯行にしようと、わざわざ犯人に仕立てた中国人を殺害するなどして工作をはかっていた。しかし、**殺害する予定の三人のうちの一人が脱走してしま**

い、その謀略は世間の知るところとなったのである。

張作霖爆死の報に日本政府や天皇は驚いた。張作霖とは旧知の仲であった田中義一《たなかぎいち》首相をはじめ、政府や軍部ではまだ張作霖には利用価値があると考えていたのだ。後年、関東軍は暴走を繰り返すことになるが、中央の意向を無視しての独断専行はすでにこのときから始まっていたのである。

村岡は予備役となり、河本以下事件にかかわった軍人たちも処分された。それだけでなく、関東軍をかばうような発言をしたことで天皇の不興を買った田中義一内閣も総辞職することとなった。

現地では張作霖の息子の張学良《がくりょう》が関東軍に反旗《はんき》を翻《ひるがえ》し、敵であった国民党と結んでしまった。**お粗末な工作で張作霖暗殺を強行した結果、日本は満州での立場を弱めることとなってしまった。**

だが関東軍は性懲《しょうこ》りもなかった。三年後、関東軍は満州事変《じへん》を起こし、今度は清朝最後の皇帝であった溥儀《ふぎ》を担ぎ出して満州国を建国する。日本の傀儡国家・満州国は十三年あまり続くが、第二次世界大戦における日本の敗北とともに崩壊した。

二十一世紀の国際空港で猛毒を顔に塗られた男

金正男暗殺事件（2017年）

二〇一七年二月十三日、利用者で賑《にぎ》わうマレーシアのクアラルンプール国際空港の三階出発ホールで、事件は起きた。

マカオ行きのエアアジア便に乗ろうと自動チェックイン機に向かったのは、「キム・チョル」という名が入った北朝鮮のパスポートを持った中年男性だった。キム・チョルは偽名であり、本当の名前は金正男《キムジョンナム》。北朝鮮の第二代最高指導者であった金正日《ジョンイル》の長男であった。

前代未聞、衆人の面前での毒殺事件

この日、正男は一人で空港にいた。本来ならば金正日の後継者となっていてもおかしくない正男だが、その立場は微妙なところにあった。

実は正男は、正日の正妻の子ではなく、不倫相手である女優との間に生まれた子だ

ったのだ。

正男は学生時代に外国留学を経験したためか、閉鎖的な自分たちの国や政治体制に疑問を抱いてもいた。そうした諸事情に加え、二〇〇一年には偽造パスポートで日本に入国しようとして失敗し、身元がばれて国外退去処分となった。へまをやらかした息子に、正日は海外渡航を禁じたが、正男はこれに従わずふたたび海外へと渡った。

それ以後、正男はマカオに居《きょ》を構え、家族と暮らしていた。一人で歩くこともけっして珍しくはなかったという。

自動チェックイン機を操作しているときだった。見知らぬアジア系の女性二人が近づいてきて、正男の顔に液体を塗った。空港のスタッフを呼んで「誰かが顔に液体を含んだ布を当ててきた」と報告した正男は、顔に激痛を感じ、空港内のクリニックに向かった。

クリニックに着いたときには、正男は全身から汗を流し、痙攣を起こしていた。口《こう》腔内《くうない》には血や泡が溢《あふ》れていた。

医師は応急手当てを施すと救急車を呼んだが、その救急車のなかで正男は心肺停止となり、病院に到着後、死亡が確認された。

検死の結果、正男の**顔に塗られた液体は猛毒の神経剤であるVXガスであることが判明した。**

国家にとっての邪魔者だった存在

首都の国際空港での事件発生に、マレーシア警察はすぐに動いた。実行犯である女性二人を含め、北朝鮮国籍の数人が逮捕された。捜査の網から逃れて北朝鮮に逃亡した関係者は国際手配された。

実行犯の二人のうちの一人はインドネシア人、もう一人はベトナム人だった。警察の取り調べに対し、彼女たちは**「日本のテレビ番組の企画で正男にいたずらをすると言われてこの仕事を引き受けた」と供述**した。

二人は殺人罪で起訴され、収監された。事件は誰が見ても北朝鮮政府によって行なわれた組織的犯行であったため、マレーシアと北朝鮮の関係は悪化した。

正男は、弟であり、父の死後、北朝鮮の最高指導者となった金正恩《ジョンウン》の指示によって暗殺された――。これが現在における一般的な認識だ。

ではなぜ正男は殺されたのか。

正男は過去に日本メディアのインタビューに対して、「三代続いての世襲《せしゅう》に反対である」と述べている。また北朝鮮を「滅ぶ」とも口にしている。

マレーシアではアメリカの情報機関と接触していたという話があり、脱北者と組んで亡命政府をつくるという噂もあった。

さまざまな情報があるが、どこまでが真実かはわからない。しかしひとつだけ言えるのは、正男は父から見ても弟から見ても、そして北朝鮮の政権を支える人間たちから見ても、国外で勝手な行動をとっている邪魔者であったということだ。

その後、実行犯の二人の女性は殺人罪から「危険な凶器を用いた傷害罪」へと刑が軽くなり、二〇一九年にそれぞれ釈放された。

邪魔な兄を排除した金正恩は、自身の体制を堅固なものとし、核ミサイル開発に血《ち》眼《まなこ》になっている。

正男が反対していた三代の世襲は、いまのところ揺らいではいない。

身から出た錆で暗殺された『三国志』の英雄

張飛暗殺事件（２２１年）

『三国志《さんごくし》』の世界で、呂布《りよふ》と並ぶ豪傑《ごうけつ》として描かれているのが張飛《ちょうひ》だ。

張飛は桃園《とうえん》の誓いで劉備《りゅうび》、関羽《かんう》と義兄弟の契《ちぎ》りを結ぶと、その命が果てるまで主君を支えた。これは正史においても変わらない。

とくに二〇八年の長坂《ちょうはん》の戦いでは、曹操《そうそう》の軍に敗れて逃走する劉備を救う際に自ら殿《しんがり》となり、何十倍もの敵勢を食い止めるという無双ぶりを見せつけた。このとき「俺と勝負がしたい者は出てこい！」と叫ぶ張飛に、曹操の部下たちは誰一人として挑もうとしなかったという。

一人で一万騎に匹敵すると言われたほど武勇に富んだ張飛。

義兄弟の兄である関羽もまた同じような武勇の持ち主であったが、二一八年、関羽は呉《ご》の孫権《そんけん》に敗れ、捕縛されたのちに処刑されてしまう。義兄を殺された張飛の怒りは凄まじかった。

二二一年、劉備が蜀《しょく》の初代皇帝に即位すると、張飛には軍の指揮権を持つ車騎《しゃき》将軍と司隷校尉《しれいこうい》の位が与えられた。

積年《せきねん》の願いがかなってやっと一国を持つことができた劉備に、張飛はさっそく呉を攻めようと進言した。

「孫権を討って、関羽の仇を討とう」

張飛にそう言われれば、劉備とて気持ちは同じ。二人はそれぞれに兵を率いて江州《こうしゅう》で合流することと決めた。

部下には乱暴極まりない最悪の指揮官

しかし、劉備には心配事があった。張飛は戦いでは無類の強さを見せたが、**指揮官としては問題があった**のだ。

大酒飲みで気性の荒い張飛は、なにかというと部下を殴りつけた。そればかりか気に入らない者は容赦なく鞭《むち》で打ち、ときには死刑にしていた。

義兄弟とはいえ目下の者に優しかった関羽とはその点が違っていた。そうした理由により、劉備は二一九年に要衝《ようしょう》である漢中《かんちゅう》を攻略したときも、守備隊の司令官を選ぶにあたって、その任に最適と思われた張飛を「兵に信頼されていない」として候補から外している。

もちろん、劉備は「ほどほどにせよ」と諫言もしていた。が、己に自信がありすぎる張飛は、義兄の言葉を聞いているふりをして受け流していた。

あまりにあっけない豪傑の死

念願の呉との決戦を前に、張飛は閬中《ろうちゅう》で兵を集めたが、日頃の行ないがここで仇となった。

いざ出発というそのときに、部下である張達《ちょうたつ》と范彊《はんきょう》によって殺されてしまったのである。無双の豪傑でありながら、その最期はあまりにあっけなかった。

正史による記述も実にあっさりしていて、そのためか小説である『三国志演義《えんぎ》』では、張飛が「三日のうちに全軍白装束を整えよ」と無茶な命令を出し、「三日で兵士全員の白装束を用意するのは無理です」と訴えた張達と范彊を鞭打ちにするという描写が加わっている。

鞭打ちのあと、張飛は「できなければ首をはねる」と二人を脅した。そこで**「どう**

せ殺されるなら」と張達と范彊は張飛の暗殺を決意し、酒に酔って寝ているところを襲い、その首を持って呉に投降《とうこう》したのだった。

張飛暗殺の報に接した劉備は「張飛が死んだ……」と呟くと、しばらく動けなくなったと伝わる。

嫌な予感は当たるというが、このときの劉備は、まさにそんな気分だったことだろう。

張飛の死後、結局、蜀が呉を滅ぼすことはなかった。蜀は呉よりも先に滅亡することとなるが、それはまだしばらく先の話だ。

さらにときを経た現代における張飛の人物像は、本来のそれから少し離れて「酒飲みだが気のいい人物」として伝わっている。これは『三国志演義』やその他の『三国志』関係の書物の影響が大きい。

それにしても、張飛にもう少し人徳《じんとく》があれば、歴史も少しは変わっていたかもしれない。

志士たちの不満の刃を向けられた日本陸軍の父

大村益次郎暗殺事件（1869年）

明治維新は、雄藩《ゆうはん》と呼ばれた薩摩藩や長州藩、土佐藩などの志士たちが中心となって行なわれた政治改革運動であった。しかし、勝者となった志士たちのなかで、明治新政府樹立が自分たちに及ぼす影響について考えていた者はどれだけいただろうか。

「こんなはずでは……」気づけば職も地位も失って

明治新政府は政権を確立すると、それまでの幕藩《ばくはん》体制をあらため、天皇中心の中央集権国家をつくりはじめた。

近代的な国家では、当然ながら国軍が整備される。それまでの日本の軍制といえば各藩が別個に兵力を備えていたものだが、新政府の目指す陸海軍にはそうした藩ごとの垣根《かきね》はなかった。それればかりか、新しい軍隊には武士だけでなく農民や町人の子弟も分け隔《へだ》てなく入隊できた。もはや武勇を誇るのは武士だけではなくなったのだ。

気がつくと、志士たちは社会的地位も仕事も失っていた。新政府に出仕《しゅっし》できた者もいたが、生活が苦しくなり、こんなはずではなかったと歯噛《はが》みする者も少なくなかった。なによりも自分たちの拠《よ》り所とする武家という階級がなくなることに焦燥感《しょうそうかん》を抱いた者が大勢いた。こうした不満は、とくに倒幕の立役者であった薩摩や長州出身の人間に多かった。

彼らの**怒りの矛先《ほこさき》は、新政府で軍制改革を行なっていた人間に向けられた。**当時、その役を担《にな》っていたのが、長州藩出身の大村益次郎《おおむらますじろう》であった。

命と引きかえに築かれた日本陸軍の礎

大村益次郎（旧名・村田蔵六《むらたぞうろく》）は、一八二四年に周防国《すおうのくに》（現在の山口県）の町医者の息子として生まれた。若い頃から防府《ほうふ》や長崎で医学や蘭学《らんがく》を学び、大坂では緒方洪《おがたこう》庵《あん》の適塾《てきじゅく》で塾頭にまでなった優秀な頭脳の持ち主であった。

その後、伊予宇和島《うわじま》藩に雇われて洋学を教えるかたわら、同藩領内に砲台《ほうだい》を築いたり、まだ日本では珍しい洋式軍艦建造に取り組んだりした。

一八五六年からは江戸に出て幕府でも兵学や洋学の講義を行ない、一八六〇年には

靖国神社から大村益次郎が見ているのは……

故郷の周防が属する長州藩の藩士となっている。長州藩では西洋兵学の専門家として講義を行ない、西洋式の兵制を導入した。このとき編成した奇兵隊は武士だけでなく農民や町民からも兵を採用するという、のちの帝国陸軍の雛形《ひながた》といえるものであった。

大村に指揮された長州軍は、その後の第二次長州征伐や戊辰戦争で連戦連勝。新政府軍を率いた上野寛永寺《かんえいじ》の戦いでは、幕府残党の彰義隊《しょうぎ》をわずか一日で殲滅《せんめつ》した。

明治に時代が改まると、大村は新政府内で次々と軍制改革に着手。フランス式の軍を整備し、日本陸軍の基礎をつくった。だが、それは居場所を失った武士たちの恨みを買うものであった。

一八六九年、大村は視察旅行で滞在していた京都三条木屋町《さんじょうきやまち》の旅館で、元長州藩の神代直人《こうじろなおと》らに襲われた。数箇所を斬られた大村は一命をとりとめ、その後、なんとか二ヶ月を過ごした。しかしながら、傷からの感染で敗血症《はいけつしょう》になり、息をひきとった。

この暗殺に喜んだのが元薩摩藩の海江田信義《かいえだのぶよし》だった。戊辰戦争の折、海江田と大村はなにかと意見が合わずに衝突した仲であった。海江田は神代たちに同情し、その処刑を取りやめにしようとしたりした。そのため、大村暗殺は海江田が神代たちを裏で操って行なったものではないかと噂された。

暗殺そのものは成功しなかったが、結果的にそのときの傷がもとで命を失った大村益次郎。

しかし、彼の断行せんとした軍制改革はその後も陸軍に引き継がれた。近代的軍隊となった日本陸軍の力は、不満分子である志士たちを一掃することとなった一八七七年の西南戦争、その後の日清・日露戦争でおおいに発揮されたのである。

助命むなしく殺害されたクレオパトラのまな息子

プトレマイオス十五世暗殺事件（紀元前３０年）

世の中のすべての人がそうだが、人間は親を選んでこの世に生まれることはできない。人によっては生まれた瞬間からその後の人生が決まってしまうこともあり、ときにそれは悲劇であったりする。

古代エジプト最後のファラオとなったプトレマイオス十五世（紀元前四七年～紀元前三〇年）も、そんな悲劇を宿命づけられていた人物だった。

我が子をエジプトのファラオに

プトレマイオス十五世が生まれたのは、エジプトがローマの影響下にあったプトレマイオス王朝の末期。弟であるプトレマイオス十三世とともに王位に即位して、女王として国を統治したのが、まだ十八歳のクレオパトラ七世であった。しかし、その三年後、クレオパトラは弟と対立し、首都のアレクサンドリアから追放されてしまう。

この窮地を救ったのが、エジプトにやってきたユリウス・カエサルだった。カエサルは三一歳年下のクレオパトラを愛人とし、プトレマイオス十三世を攻め滅ぼす。ほどなくして、クレオパトラはカエサルとの間にできた男の子を産んだ。この子こそ、小カエサル＝カエサリオンと呼ばれることとなるプトレマイオス十五世であった。

クレオパトラは、我が子をエジプトのファラオとするだけでなく、カエサルの跡を継ぐローマの支配者にすることを夢見た。だが、カエサルはクレオパトラがローマ滞在中に暗殺されてしまう。

エジプトに戻った**クレオパトラは、プトレマイオス十三世の死後、王位に就いていたもう一人の弟・プトレマイオス十四世を暗殺**すると、まだ三歳だった息子をファラオとした。こうしてカエサリオンはプトレマイオス十五世となった。

その後、クレオパトラは恋人となったローマの執政官・アントニウスを味方につけ、シリアやキプロスに侵攻すると、そこをエジプトの領土とした。

「カエサルの後継者に二人は要らない」

プトレマイオス十五世は、母とローマの有力者を後ろ盾にエジプトに君臨するはずだった。しかし、運命はそれを許さなかった。アントニウスには同じローマにオクタウィアヌス（のちのローマ初代皇帝）という敵対者がいた。オクタウィアヌスはエジプトに宣戦布告すると、アントニウスの軍をイオニア海のアクティウム沖で迎え撃ち、これを打ち破った。敗れたアントニウスとクレオパトラはアレクサンドリアに逃げたが、追い詰められ、二人とも自害した。

クレオパトラは息子の身を案じ、アレクサンドリアから脱出させた。このときをもってプトレマイオス王朝は滅亡、三千年以上続いた古代エジプトは消滅してしまう。

南に逃亡したプトレマイオス十五世だったが、一緒にいた教育係から「降伏すれば命を助けてくれるかもしれない」と説かれ、オクタウィアヌスのもとに出頭した。

が、これは失敗だった。カエサル亡きあと、ローマを自ら支配しようというオクタウィアヌスにとって、その血を引く息子は邪魔な存在だった。一説によるとオクタウィアヌスはまだ十七歳のファラオを助命しようと考えたともいうが、側近の「カエサルの後継者は二人は要らない」という言葉に頷き、殺害＝暗殺を命じたという。

母・クレオパトラの願いもむなしく殺されたプトレマイオス十五世。その生涯は悲劇に彩られていたとしか言いようがない。

脳卒中で倒れたスターリンを部下たちはどうしたのか

スターリン暗殺疑惑（１９５３年）

二十世紀において、ヒトラーと並ぶ独裁者といえばソ連の指導者であったヨシフ・スターリンだろう。自らの権力を維持するため、ありとあらゆる権謀術数を用いて政敵を次々に追い落とし、あまりにも多くの国民を収容所に送った。まさに非道の独裁者である。

二百万人といわれる大粛清

スターリンはレーニン亡きあとのソ連で最高指導者となると、強権を振るって国を我が物とした。

競争相手のセルゲイ・キーロフやレオン・トロツキーをはじめ、共産党員や軍人、政治家だけでなく、芸術家や宗教家、教師、労働者、農民に至るまで、さまざまな階層の人々を粛清する。**拷問《ごうもん》を容認するなど、その手段は残虐極《ざんぎゃく》まりなかった**。果ては、粛清の実行部隊である秘密警察の職員たちまでが殺されたというのだから、常軌を逸していたとしかいいようがない。

この大粛清で殺された人の数は一九三〇年代だけでも最低七十万人、説によっては二百万人といわれている。

スターリンの暴政はこれだけでは留まらない。独ソ戦では犠牲を厭《いと》わぬ焦土《しょうど》戦術を用いて約二千万人の自国民を死に至らしめた。そればかりか「カチンの森事件」でのポーランド人虐殺など、戦争をいいことに無数の他国民を殺戮《さつりく》した。そんなスターリンは自分のしていることをこんなふうに嘯《うそぶ》いた。

「一人の人間の死は悲劇だが、数百万の人間の死は統計上の数字でしかない」

ホロコーストを実行したヒトラーですらひけをとるほどの殺戮者であったスターリン。戦争中も粛清癖の抜けない彼は、気に食わないと自軍の兵士たちですら大量に処刑した。

第二次世界大戦におけるソ連軍の戦死者は戦勝国にしては多いのだが、その理由はスターリンの無慈悲な人間性にあると考えられている。

そうした人物だから、反対派や敵から見れば、当然、暗殺の対象となる。本人もそこのところはよくわかっていて、そのため寝室を特定できないようにいくつも用意するなど暗殺に対する警戒ぶりは神経質なほどだったという。

公式には「自然死」とされているが

スターリンが死んだのは一九五三年の三月五日。死因は脳卒中とされている。公式には自然死と見なされているが、もちろん暗殺ではないかと疑われている。

いくつかある謀殺説には、単純な毒殺説もあれば、脳卒中自体は事実であるとみなしながら、側近たちが倒れたスターリンの手当てをせずに見殺しにした、あるいは医師とはかってろくな救命措置をとらなかったという説もある。

スターリンが倒れたのは死の四日前の三月一日だった。前の晩、独裁者はフルシチョフやベリヤ、マレンコフ、ブルガーニンといった側近たちと会議や夕食をともにし、その後、自身の寝室で脳卒中を起こした。会議の場でのスターリンは機嫌が悪く、側近たちを罵《ののし》っていたという。

倒れたスターリンを最初に誰が発見したのかは定《さだ》かではない。スターリンが医師の診察を受けたときには、すでに発作を起こして十時間以上が経過していた。

倒れたスターリン（右から３人目）を見殺しにしたのは……

しかし、召使《めしつか》いたちの証言によると、それ以前に誰かが部屋に入った形跡があったという。だとすれば、側近たちである可能性が高い。

フルシチョフやベリヤたちは常日頃から自分たちが粛清の対象になるのではないかと恐れていた。そんな彼らが死にかけている独裁者の姿を目にしたのだとしたら、見て見ぬふりをしたとしてもおかしくはないだろう。

仮に暗殺ではなかったとしても、スターリンの最期は同志たちから見放された憐れなものだったに違いない。

そうでなければ、スターリンに殺された大勢の人々が報われないというものだ。

遺体からヒ素が検出されたフランス皇帝

ナポレオン毒殺疑惑（１８２１年）

フランス皇帝にして軍事の天才であり、ヨーロッパを席巻《せっけん》したナポレオン・ボナパルト。その皇帝在位期間、フランスはナポレオン戦争と呼ばれる対外戦争に明け暮れた。

絶海の孤島に送られた英雄ナポレオン

ほとんどの戦いで勝利したナポレオンとその軍隊は、一八一二年、ロシアに遠征する。しかし、この戦いでは**ロシアの厳しい冬と糧秣《りょうまつ》不足、それにロシア軍の粘り強い戦術に大敗を喫してしまう**。

これによって、ナポレオンが無敵でないことに気づいたプロイセンやオーストリア、スウェーデン、イギリスなどにフランスは包囲され、一八一四年の四月、ついにナポレオンは退位させられ、地中海の小島であるエルバ島に追放されてしまった。

翌年、ナポレオンはフランス国内の混乱を見てエルバ島を脱出、パリに戻って皇帝の座に返り咲く。

だが、イギリス・プロイセンの連合軍を相手に戦ったワーテルローの戦いで敗北し、**ふたたび皇帝の地位を失う**こととなった。このときの在位期間はわずか九十五日間だったことから「百日天下」と呼ばれている。

ナポレオンは迫る敵の手から逃れるためアメリカへ亡命しようとしたが、イギリス海軍に邪魔をされ、最後は投降する。その身は南大西洋の孤島であるセントヘレナ島に送られることとなった。

セントヘレナ島に着いたナポレオンは、島の総督であるハドソン・ローには不遜な態度をとられたが、ロングウッド・ハウスと呼ばれる館では側近のベルトラン将軍一家や三十二人に及ぶ部下や召使いに囲まれ、比較的不自由なく暮らすことができた。

しかし、イギリスの監視下に置かれたこの生活は、皇帝の地位にあったナポレオンにしてみれば屈辱的であり、湿潤《しつじゅん》な火山島の気候もあまり快適なものではなかったらしい。

病死か毒殺か、現代まで続く論争

ナポレオンは、セントヘレナ島で四十六歳から五十一歳までの六年間を過ごしたのち、胃がんで亡くなった。

が、息をひきとる前、ナポレオン自身はこう言った。

「私は暗殺されたのだ」

暗殺であれば毒殺の可能性しかない。事実、遺体をフランスに送還する際、そこからは毒性の強いヒ素が検出された。これで一気にナポレオンの毒殺説は現実的なものとなった。**「ナポレオンはワインに混入されたヒ素を飲んで死んだ」**という説が流れ、病死か毒殺かの死因論争は現代に至るまで続いた。

最近の調査としては、二〇〇二年にパリ警視庁とストラスブール法医学研究所がナポレオンの遺《い》髪《はつ》を調べた結果、そこからヒ素を検出したという報告がある。

もっとも、十九世紀の段階ではヒ素は保存用の薬品としても普及しており、検出されたからといってそれが原因で死んだとは言い切れない。また、仮にヒ素で死んだとしても故意の毒殺ではなく、気づかぬうちにそれに触れての中毒死という可能性もある。

実際のところ、ナポレオンが胃潰瘍《いかいよう》と初期の胃がんだったことは事実で、死因としてはこれがいちばん有力となっている。とはいえ、病死する前に毒殺されたという可能性も否定はできない。イギリスはナポレオン生存中はセントヘレナ島に軍隊や軍艦を置いてその動向に神経をとがらせていた。エルバ島を脱出したナポレオンなら、広い大西洋を渡ってヨーロッパに舞い戻るくらいしてのけるのではないかと警戒していたのだろう。

ナポレオンの死因は公式には胃がんとなっているが、毒殺、中毒による事故死、医療ミスによる死など、いまだに病死以外の説がくすぶっているのが現状だ。なによりも死に臨んだナポレオン自身が暗殺をほのめかしている。だが、かりに暗殺でなかったとしてもがんに冒《おか》された体では長生きはできなかっただろう。軍事的天才のカリスマも寿命にはかなわなかったと言わざるを得ない。

ナポレオンの死後、フランスはその子のナポレオン二世と甥のナポレオン三世を君主に戴《いただ》くが、ナポレオン三世を最後に君主制はなくなり、完全な共和制へと移行していくこととなった。

第5章

邪魔者はいったい誰だ

――「思想が異なる」というだけで

未曾有の大戦争の引き金となった オーストリア大公夫妻銃撃

サラエボ事件（1914年）

世界にもっとも大きなインパクトを与えた暗殺事件のひとつといえるのが、一九一四年六月二十八日に起きたサラエボ事件だ。オーストリア大公夫妻が殺害されたことをきっかけに、数千万人の犠牲者を出した第一次世界大戦にまで発展してしまった。ひとつの暗殺事件が未曾有《みぞう》の大戦争の引き金となってしまったのである。

狙われたのは一度ではなかった

暗殺事件の舞台となったサラエボは、現在はボスニア・ヘルツェゴビナの首都となっているが、当時はオーストリア＝ハンガリー帝国の勢力下にあった。

そしてサラエボのあるバルカン半島一帯は、かつての支配者であったオスマン帝国が弱体化したことから、一八八二年に独立したセルビア王国と、北から勢力をのばしてきたオーストリア＝ハンガリー帝国が対立する構図となっていた。

セルビア人のなかには大セルビア主義を掲げ、セルビア人の多く住むサラエボを占領しているオーストリア＝ハンガリー帝国に対し敵愾心を燃やす人間も少なくなかった。彼らは同地域からオーストリア＝ハンガリー帝国を追い出すことを夢見た。一部の過激派たちは夢見ることだけでは飽き足らず、オーストリア＝ハンガリー帝国の官僚や要人を暗殺することを計画した。

そんなさなか、サラエボでオーストリア＝ハンガリー側の軍事演習が行なわれることとなる。

オーストリア皇帝のフランツ・ヨーゼフ一世は、甥でオーストリア大公のフランツ・フェルディナントに演習の視察《しさつ》を命じた。伯父の命を受け、フェルディナントは妻のゾフィーとともにサラエボに向かった。超大物の到来に、セルビア人の過激派たちは沸いた。

フェルディナント大公夫妻は視察を終えると、サラエボで行なわれる国立博物館の開館式に参加するために、オープンカーで市内に向かった。出迎えたのは過激派が投げた爆弾だった。幸い、爆弾は大公夫妻の車には当たらなかったが、後続の車は爆発によって走行不能となって多数の負傷者が出た。

事件後わずか一ヶ月で国と国との戦いに

からくも窮地を脱した大公夫妻はサラエボ市庁舎に着き、歓迎式典に参加した。大公は途上で起きたテロに動転していたが、予定していたスピーチを無事にこなした。

いまさら言っても仕方がないことだが、このあとも、夫妻は安全な市庁舎に残るべきだった。が、**二人は先ほどのテロで負傷した従者たちを見舞いに病院に行くことに決めた。そして病院へ向かう途中の道で、待ち構えていた刺客に車にとりつかれ、銃撃されたのである。**一発目はフェルディナントに、二発目はゾフィーに命中した。実行犯は取り押さえられ、夫妻は総督公邸に運ばれた。最初にゾフィーが息絶え、十分後にはフェルディナントも死んだ。

二人の死は世界に衝撃を与えた。実行犯は、南スラブ族の統一を目指す秘密結社に属するセルビア人のガブリロ・プリンツィプ。自供によると、彼が狙ったのは大公夫妻ではなくボスニアの軍政長官であったという。未成年ということで懲役二十年の刑に処され、投獄中に病死。その他の実行犯も逮捕され、絞首刑と懲役刑に処された。

セルビア王国政府は無関係を主張したが、対立の経緯もあってか、オーストリア＝

ハンガリー帝国側の怒りは凄まじく、セルビア側に対して厳しい要求をつきつけた。

この**通告の二日後となる七月二十五日、両国の国交は断絶状態となった。**翌日、オーストリア＝ハンガリー領のドナウ川で両軍の間に発砲事件が起きた。そして夫妻暗殺事件からちょうど一ヶ月後の七月二十八日、オーストリア＝ハンガリー帝国はセルビアに宣戦布告を行なったのである。

単なるテロではすまなかった

両国の動きに、ドイツ、ロシア、フランス、イギリスなどが素早く反応した。こうしてはじまったのが第一次世界大戦である。戦争はその後四年以上続き、戦死者一千万人、戦傷者三千万人、民間人の犠牲者五百万人という未曾有の被害と犠牲をもたらした。

なぜヒンドゥー教徒に殺された？インド独立の父

ガンジー暗殺事件（１９４８年）

インド独立の父としていまも人々から尊敬されているマハトマ・ガンジー。彼が生まれた独立以前のインドは、ヒンドゥー教徒とイスラム教徒が対立している社会だった。ガンジーはヒンドゥー教徒で、両者がともに暮らす国を夢見ていたが、それはイスラム教国家であるパキスタンの独立により夢と終わる。

そして**ガンジー自身はヒンドゥー教の若者によって暗殺されてしまったのである**。

なぜガンジーは、同じヒンドゥー教徒に殺されなければならなかったのか。ひも解いてみると、その理由はガンジー自身の偉大さにあったことが見えてくる。

悪ガキは弁護士となり……

ガンジーが生まれたのは、インドがイギリスの植民地であった頃の一八六九年十月。ポールバンダル藩王国《はんおうこく》の宰相《さいしょう》の家に生まれたガンジーは、小学生時代は後年の人物像からは想像できないようなやんちゃで素行不良な少年だったという。成績は悪く、タバコを吸い、そのうえ戒律《かいりつ》で禁止されている肉食にまで手を出していたというから相当な悪ガキである。

ただし、そこは良家《りょうけ》の子息、ガンジーは十八歳になるとイギリスに渡り、ロンドンのカレッジや法曹院《ほうそういん》で学び、弁護士の資格を取得する。ヒンドゥー教に興味を持ち始めたのはこの頃のことで、インド哲学や宗教思想を広める神智学協会《しんちがくきょうかい》を通して母国の伝統を学んでいった。

そんなガンジーがインド独立を意識しはじめるきっかけとなったのが、一八九三年の南アフリカ移住だった。

弁護士として開業すべく渡った南アフリカの地で、ガンジーはこれまでイギリス本国でもあったことがなかったような人種差別を体験する。南アフリカでは白人が絶対優位。イギリスで弁護士となっていたガンジーでさえも、この地ではインド系というだけで見下された。ガンジーは自分だけでなく、インド系住民たちの虐《しいた》げられている姿を見て、徐々に民族運動に目覚めていったのである。

一九一五年、インドに戻ったガンジーはインド国民会議に加わって、イギリスから

る運動だった。ここでガンジーがとったのは「非暴力」と「不服従《ふふくじゅう》」による独立運動に身を捧げる。

の独立運動に身を捧げる。

綿製品などのイギリス製品に対する不買運動や暴力をともなわない不服従はインド独立運動の流れとなり、そのためガンジーは、なんと六回も投獄されることとなった。

やがて、第二次世界大戦が起きるとイギリスは勝利したが、長年にわたるドイツや日本との戦いで国力は消耗《しょうもう》しきり、もはやアジアの植民地を支配する力はなくなっていた。そこでガンジーは全国民に呼びかけて独立運動を再燃させ、独立を勝ち取る。

一九四七年八月十五日、イギリスはインドの独立を承認し、インドは独立することとなったのである。

裏切り者扱いされてしまった平和主義

ガンジーにとって念願だったインドの独立。しかし、それは彼が夢描いたものとは違い、ヒンドゥー教徒とイスラム教徒の分立という形で実現してしまう。

イスラム教徒たちはヒンドゥー教徒が多数派となるインドとは一緒にならず、パキスタンとして独立する道を選んだ。そして独立後すぐに、インドとパキスタンの間で北部国境地域に位置するカシミール地方をめぐっての戦争が起きた。

ガンジーはこうした動きを憂慮《ゆうりょ》し、幾度も抗議の断食を行なうなど協調の姿勢を貫いた。これが同じヒンドゥー教徒たち、とくに一部の原理主義者たちの怒りを買った。彼らから見れば**ガンジーは平和主義者ではなく、憎いイスラム教徒に肩入れする裏切り者**であった。

一九四八年一月三十日、ガンジーはニューデリーにいた。滞在先の屋敷の中庭で礼拝に向かおうとしていたときだった。ヒンドゥー原理主義者の若者、ナートゥラーム・ゴードセーが近づいてきて至近距離からガンジーに三発の弾丸を放った。

ガンジーは地面に斃《たお》れ、血まみれになって「おお神よ」と幾度も繰り返した。病院に運ばれたときには、もはや手の施しようがない状態だった。

非暴力を貫いたガンジーの死は、インド国内はもとより世界に衝撃を与えた。その後、ガンジーはインド独立の父として祀《まつ》られ、ニューデリーのガンジー廟《びょう》には世界中から人々が追悼に訪れるようになった。

しかし、残念ながら、いまだにインドとパキスタンの対立は続いている。ガンジーが本当の意味で安らかに眠れるようになるには、まだまだ時間がかかりそうだ。

ペリーもおののく大物を殺ったのは……

佐久間象山暗殺事件（１８６４年）

ペリーの黒船来航で揺れる幕末の江戸にあって、ひときわ存在感を放っていた思想家が佐久間象山《さくましょうざん》だ。

象山は信州松代《まつしろ》藩士で、二十二歳の頃に江戸に出て、儒学者・佐藤一斎《さとういっさい》のもとで朱子学を学んだ。その後は自分でも象山書院という塾を開き、門弟《もんてい》たちに儒学を教えた。儒学者だった象山の思想が大きく変わったのは一八四二年。幕府の海防掛《かいぼうがかり》になった松代藩主・真田幸貫《さなだゆきつら》の顧問となったことで、象山はアヘン戦争などの海外情勢を詳しく知ることとなる。

ふくろうのような大きな目

象山が学んだ朱子学では、清《しん》（中国）こそが最高の国であった。しかし、その清は西洋列強であるイギリスにもろくも敗れた。

洋学に目覚めた象山は蘭学と兵学《へいがく》を学び、自ら洋式の大砲を鋳造《ちゅうぞう》するなどして、当代一の西洋砲術家として知られるようになる。

洋学を教えるために開いた「五月塾」には吉田松陰や坂本龍馬などが入門。象山はそこで弟子たちに「西洋に勝つためには西洋の学問や技術を学ばねばならない」と開国による富国強兵論を説いた。

五月塾ではたんに学問を教えるだけでなく、ガラスを製造したり、ワインを醸造《じょうぞう》したり、天然痘のワクチン開発に着手したりしたほか、電信機や地震予知機、電気治療器など、さまざまな機械を製造しては実験を行なっていたという。

象山は頭脳明晰《めいせき》な上に弁が立った。**身長百七十五センチメートルと堂々たる体軀《たいく》で、ふくろうのような大きな目の持ち主である象山が自説を説くと、たいていの者はそれに感服した。**

黒船来航の際に横浜の応接所でアメリカの使節団と面会したときも、その悠然《ゆうぜん》たる佇まいに**ペリーが思わず会釈《えしやく》した**ほどだった。

象山の思想は幕府の方針とも合致したものだったが、安政の大獄では弟子の吉田松陰の密航《みっこう》未遂事件に連座した罪で投獄された。その後もしばらくは故郷の松代での蟄居を命じられた。

小物に殺された大物の無念

しかし一八六四年（元治元年）三月。

象山は一橋慶喜の招きで京都に上る。象山はここでも慶喜や将軍・徳川家茂に持ち前の開国論や公武合体論《こうぶがったいろん》を力説した。そればかりか、京都は危ないので天皇の御座所《ござしょ》を彦根に移そうという提案までした。

象山は見かけも大きいが態度も大きい人物だった。自信家で傲慢《ごうまん》、それに楽天的なところもあったためか、京の町を歩くときも護衛をつけずに一人で行動した。結果として、それが文字どおりの命とりとなった。

当時の京都は尊攘派志士の蠢《うごめ》く場所であった。池田屋事件で多くの仲間を失って復讐心に燃えていた彼らは、「西洋かぶれ」の佐久間象山を憂さ晴らしのターゲットにしていたのだ。

七月十一日の日中、三条木屋町筋を愛馬に乗っていた象山は暗殺者たちに襲撃された。

襲ったのは、のちに幕末の暗殺者として知られることになる肥後《ひご》藩の河上彦斎《かわかみげんさい》とその同志の前田伊右衛門たち数人の尊攘派志士だった。

象山は剣の達人である彼らに滅多《めった》斬りにされて死んだ。もちろん、象山のことだから、ただ死ぬだけではなかっただろう。自らも太刀を抜いて応戦したはずだし、それ以上に達者な口で暗殺者たちを一喝したはずである。

「この象山の命を狙うとは、どこの阿呆《あほう》か」

象山から見れば、世界の現実を知らぬ尊攘派の過激分子はとるに足らぬ小物だった。その小物に殺されたのだから、相当な無念だったはずである。

その後、明治新政府がとったのはまさに象山が唱えた開国による富国強兵策だった。尊攘派の志士たちは、結局、象山が正しかったことを認めるしかなかった。

ただ一人、明治の世になっても攘夷論を唱えていた河上彦斎は新政府から危険分子とみなされ、一八七二年(明治四年)、捕縛され日本橋小伝馬町《こでんまちょう》で斬首となった。

モテすぎて妬まれたために ターゲットに

ヒュースケン暗殺事件（1861年）

幕末に多発したさまざまな暗殺事件では外国人も犠牲になった。オランダ人のアメリカ公使館通訳官ヘンリー・ヒュースケンもその一人である。

日本を愛した若きアメリカ人通訳官

ヒュースケンは一八三二年、アムステルダムで石鹸製造業を営む父と母の間に生まれた。十四歳のときに父を亡くしたため、生活は厳しかったという。

二十一歳で単身渡米したが、移民先のアメリカでもすぐにいい生活はできなかった。人生に転機が訪れたのは二十三歳のとき。日本に公使として赴任《ふにん》するハリスがオランダ語のできる通訳を募集していることを知り、これに応募したところ、採用されたのだった。当時の日本は開国したばかり。日本人の通詞《つうじ》（通訳）たちは西洋の外国語といえばオランダ語以外は話せなかった。そこでハリスはオランダ語のできる助手を探していたのであった。

ハリスとともに見知らぬ東洋の国に渡ったヒュースケンは、そこで目にした風物や触れあった人々を愛した。その記録は『ヒュースケン日本日記』に残っている。まだ二十三歳と若いヒュースケンは異性にももてたようで、複数の日本人女性と関係があったという。

いっぽうで、**通訳官としてのヒュースケンは幕府からも諸外国の外交官たちからも受けがよかった。**英語だけでなくオランダ語、フランス語に堪能だった彼は、アメリカ以外の国々からも通訳を頼まれ、数多の外交交渉の場で活躍した。

しかし、世は動乱の時代である。巷《ちまた》には攘夷思想の持ち主が溢れかえっていた。たいした思想もなく、たんに異人を忌《い》み嫌う者たちもいた。そんな彼らにとってヒュースケンは「日本の女子に手を出す」憎い相手だった。

実行犯の惨めな末路

一八六一年のある晩のことだった。ヒュースケンは芝赤羽《しばあかばね》にあるプロイセン公国の宿舎での仕事を終え、アメリカ公使館のある麻布山元町《あざぶやまもとちょう》の善福寺《ぜんぷくじ》に帰る途中、待ち伏せていた六、七人の武士たちに襲われた。警護の役人たちが防ごうとしたが、馬上にいたヒュースケンは左右のわき腹を刺されてしまった。

なんとか馬を走らせて窮地《きゅうち》を脱したものの、力尽きて落馬。駆けつけてきた人たちによって戸板《といた》に乗せられて善福寺に帰り着いたが、出血がひどく次の日に息絶えてしまった。まだ二十八歳だった。

幕府は躍起《やっき》になって犯人を探したところ、この凶行が薩摩藩士の伊牟田尚平《いむだしょうへい》らによるものだと判明した。しかし、犯人がわかってもヒュースケンの命は戻らない。結局、幕府はハリスに謝罪し、ヒュースケンの母に一万ドルの弔意金《ちょういきん》を支払うことでこの事件を終息させるしかなかった。

日本を愛したにもかかわらず日本人に殺されたヒュースケン。その後、多くの尊攘派が転身して明治維新を迎えたことを考えると、この暗殺事件は日本人が覚醒《かくせい》する前の過渡期に起きた稚拙なテロ事件であったといえる。

犯行グループの中心にいた伊牟田は島流しになったが、許されて帰参《きさん》。その後は西郷隆盛の命でテロ活動に従事した。しかし、もともとそういう人物であったのか、最後は京都で犯罪にかかわり処刑され、首は京都三条でさらしものになったという。

蛮行によって奪われたたった六歳の命

甘粕事件
―大杉栄・伊藤野枝暗殺事件（1923年）

一九二三年（大正十二年）九月十六日、六歳の橘宗一《たちばなむねかず》は鶴見町《つるみまち》（現在の横浜市鶴見区）の親戚の家に、母のあやめと滞在していた。日系移民の父を持ち、アメリカ育ちの宗一は、この年、日本に来たばかりだった。腰を落ち着ける間もなく、関東大震災が発生。被災地の東京や神奈川には戒厳令《かいげんれい》が発せられていた。

その日、東京に自宅のある伯父が、内縁の妻とともに宗一たちの滞在している家にやって来た。伯父の名は大杉栄《おおすぎさかえ》。アナキスト（無政府主義者）であり自由恋愛論者でもある大杉はなにかというと世間を騒がせていた運動家だった。一緒にいた伊藤野枝《いとうのえ》もまた大杉と思想を同じくする無政府主義者であった。

大杉と伊藤の二人に、宗一は「東京は地震で焼けたんでしょう。見てみたい」と言った。好奇心が言わせたこの無邪気な一言が、自分の運命を変えるとも知らずに。

「よし、じゃあ一緒に東京に行くか」

機嫌よく応じた大杉は、宗一を連れて自宅のある柏木《かしわぎ》（現在の新宿区）に帰った。

泣き叫ぶ少年の首に……

夕方、家に入る前にすぐ近所の果物屋でりんごを買っていたときだった。

「大杉栄だな」

声をかけてきたのは陸軍憲兵隊の甘粕正彦《あまかすまさひこ》大尉だった。憲兵《けんぺい》数人に囲まれた大杉は抵抗するのは不利と悟ったか、伊藤ともどもあっさりと彼らに連行された。宗一もわけがわからぬまま、麹町《こうじまち》の憲兵司令部に連れて行かれた。

憲兵隊の目的は大杉の暗殺だった。**彼らはアナキストの大杉が震災の混乱に乗じて大衆を煽動《せんどう》して騒乱を起こすのではないかと恐れていた。**同時に戒厳令下のいまは危険分子を抹殺《まっさつ》する絶好の機会でもあったのである。

それぞれ別室に連れて行かれた大杉と伊藤は、殴打《おうだ》され絞殺された。伯父を襲った異変に気づいた宗一は別室で泣き叫んだ。その**六歳の少年にも憲兵隊の魔手《ましゅ》が伸びた。**

宗一には自分がなぜ殺されなければいけないのか理解できなかった。首を絞められ遠のいていく意識のなかで、必死で母を呼ぶ以外、少年に許されたことはなかった。

生き絶えた宗一の遺体は、大杉や伊藤の遺体とともに隊舎の裏の古井戸の中に投げ捨てられた。

事件は国際問題に発展

大杉、伊藤、宗一の連行は、すぐに政府や世間の知るところとなった。米国籍を持つ宗一が行方不明になったことで、すぐに米国大使館が政府に問い合わせをしたからだった。

首相の山本権兵衛、田中義一陸軍大臣、大杉と知己《ちき》である後藤新平《ごとうしんぺい》内務大臣らは報に驚き、部下たちに調査を命じた。憲兵隊上層部もこれに応じた。するとあろうことか、判明したのは憲兵隊自身の犯罪であった。

ことは米国との国際問題に発展しかねない。陸軍は、急いで東京憲兵隊渋谷分隊長兼麴町分隊長の甘粕正彦《あまかすまさひこ》憲兵大尉と東京憲兵隊本部付の森慶次郎《もりけいじろう》憲兵曹長を「職務上不法行為」の理由で軍法会議にかけた。

その後、部下の鴨志田安五郎、本多重雄、平井利一も自首し、犯行にかかわったのはこの五名とされた。宗一を殺害したのは鴨志田と本多の二名であった。判決では両名は上官の命令に従ったのみとして無罪となり、主犯の甘粕に懲役十年が言いわたされた。

法の上では決着のついた事件だったが、世間は納得しなかった。甘粕もまた単に上の命令に従っただけで、組織を守るために犠牲になったのではないか。あるいは暗殺の実行犯ですらないのではないか。そういう噂が飛び交った。

それが真実であることを裏付けるように、甘粕はわずか三年で恩赦の対象となり、その後は陸軍の費用でフランスに留学、満州事変で暗躍《あんやく》したのち、最後は満州映画協会の理事長に就任した。

大杉殺害について、甘粕本人は親しい人に「僕はやっていない」と漏らしていたという。こうしたことからも**現在では大杉殺しは甘粕個人の考えではなく、もっと大きな組織絡みの犯罪であったのではないかという説が定説となりつつある。**

アナキストの大杉栄と伊藤野枝はこの事件で殺されなくても、いずれなにがしかの危害が及んだ可能性が高い。しかし、宗一はまだ六歳の幼い子どもだった。なぜ小さな子まで殺めたのか。憲兵隊が犯した蛮行《ばんこう》はけっして許されるものではない。

役所で勤務中に斬りつけられた軍務局長

相沢事件—永田鉄山暗殺事件（1935年）

日本の歴史において、その規模、人数ともに最大の組織といえば旧帝国陸軍である。

第二次世界大戦に敗北した一九四五年には、本土決戦に備える根こそぎ動員もあって、その数はおよそ六百万人に達した。当時の日本の人口と照らし合わせてみると、男性の五人に一人は陸軍の将兵であった。

精神論VS.現実路線の対立

これだけ大きな組織なのだから、当然、上層部にも派閥のひとつやふたつあっておかしくはない。事実、一九二〇年代の陸軍には皇道派と統制派というふたつの派閥があった。

前者は右翼の思想家である北一輝《きたいっき》の影響を受けた急進的なグループで、その思想は尊皇思想をもとにした国内改革を断行せんとするものだった。精神論的な皇道派に対し、後者の統制派は現実路線の穏健派で、政界、財界などと協調姿勢をとったうえで軍部中心の国家運営を行なおうとしていた。

一九三〇年代、日本が満州事変などで国際的な孤立を深めていくと、皇道派は陸軍内で大きな力を持つようになった。

リーダーである荒木貞夫《あらきさだお》は、陸軍大臣に就任するや、周囲を志を同じくする真崎甚三郎《まさきじんざぶろう》など皇道派のメンバーでかためた。だが、いっぽうでは血気にはやる若手将校たちをおさえることができなかった。

このため、**荒木が病気で陸軍大臣を辞任すると、皇道派は実力行使の過激な行動を起こしはじめた。**

こうした皇道派に待ったをかけたのが、一九三四年の一月に陸軍省の軍務局長に就任した統制派の永田鉄山少将だった。永田は陸大二位卒業のエリート。「将来は陸軍大臣間違いなし」と言われていた秀才である。

永田たち統制派は、荒木のいない間に参謀総長の閑院宮《かんいんのみや》を動かし、皇道派のナンバー・ツーである教育総監の真崎を更迭《こうてつ》した。真崎のような人物を教育総監の座に置いておいては、その薫陶《くんとう》を受ける若手将校たちがみんな皇道派になってしまう。それを危ぶんでのことであった。

真崎は更迭に抵抗したが最後は辞任した。当然ながら、自分たちを排除しようとするこの動きに皇道派の将校たちは憤激《ふんげき》した。彼らは前年、情報漏洩《ろうえい》のため未遂に終わったクーデター計画でも、実は裏で糸を引いていたのは永田ではないかと考えていたのだ。

将来を嘱望されていたリーダーは……

真崎が更迭された一九三五年の七月、広島県福山市にある歩兵《ほへい》第四十一連隊の相沢三郎中佐が上京してきて、永田に軍務局長の辞任を要求した。相沢は皇道派の将校だった。

かねてから相沢の行動を問題視していた陸軍は、八月一日付で相沢を台湾歩兵第一連隊に異動させた。

相沢は異動を受け入れたが、八月十二日には山岡重厚《やまおかしげあつ》整備局長に異動の挨拶をすると称し、ふたたび陸軍省にやってきた。そして山岡に挨拶を済ませるとその足で軍務局室を訪ねた。手には軍刀が握り締められていた。

部屋にいた永田は軍刀を振りかざす相沢から逃れようとした。が、一閃《いっせん》、斬りつけられた。それでも永田は隣室に通じるドアに手を伸ばした。

そこに相沢は渾身《こんしん》の一撃を加えた。永田は背中から急所を刺され、斃れた。将来を嘱望《しょくぼう》されていた統制派のリーダーのあっけない最期だった。

相沢は最終的に軍法会議で死刑が決まり、銃殺された。しかし、永田暗殺は皇道派の将校たちを勢いづかせた。昭和維新を叫ぶ青年たちは、翌年には二・二六事件を起こすこととなる。

永田の死は統制派ばかりでなく、日本にとっても損失であった。

永田は陸軍士官学校では同じ統制派の東条英機《とうじょうひでき》の一期先輩だった。バランス感覚のあった永田が陸軍大臣、あるいは総理大臣になっていたら、日本は英米との戦争を回避できていた可能性がある。

歴史に「もしも」は許されないが、永田鉄山という人物の死についてはそれを考えてみたくなる。

何が起きたかわからず逝った美貌の皇妃

エリーザベト暗殺事件（１８９８年）

十九世紀、その美貌と自由な生き方で人々の憧れの的《まと》となっていたオーストリア皇后・エリーザベト。バイエルン王家の分家に生まれた彼女は、当時の貴族としては型破りな少女だった。

父・マクシミリアン公爵は君主制に否定的な自由を愛する人物で、宮廷政治からは距離を置いていた。

公爵は家族とともに田舎に暮らし、自分に気質の似た娘を狩りや旅行に連れ回していた。音楽好きな公爵はときには街角で弦楽器を演奏した。その横で少女だったエリーザベトは聴衆からチップをもらってまわったという。

終わりを告げた自由の日々

自由の日々はしばらくして終わりを告げた。エリーザベトは十六歳で従兄弟にあたるオーストリア＝ハンガリー帝国の皇帝・フランツ・ヨーゼフ一世の妻となったのだ。嫁ぎ先であるウィーンの宮廷は、自由気ままに生きていたエリーザベトにとって窮屈《きゅうくつ》なものだった。姑で伯母《おば》のゾフィー大公妃は保守的で、姪のエリーザベトとはそりが合わなかった。

二人はハンガリーをめぐっても対立した。ハンガリーに好意的なエリーザベトに対し、ゾフィーはそれを嫌った。嫁姑《よめしゅうと》の関係はいつの時代も似たようなものだが、この二人の場合はとりわけ水と油のように相容《あいい》れないものであった。

そのうちエリーザベトはウィーンを離れることが多くなった。ハンガリーへ、イタリアへ、大西洋のマデイラ諸島へと彼女は旅をした。その旅を愛する生き方は生涯変わることはなかった。

「いまのはいったいなんでしょう？」

一八九八年九月十日、六十歳になったエリーザベトはお忍びでスイスを旅行していた。蒸気船に乗ろうとレマン湖の岸辺を侍女と歩いているときだった。一人の男が駆けてきて、エリーザベトに勢いよくぶつかった。

はずみで転倒したエリーザベトは、侍女や近くにいた人たちに助けられ立ち上がった。

「いまのはいったいなんでしょう?」と唖然《あぜん》としている侍女に、**エリーザベトは「時計でも盗みたかったのかしらね」と答えた。**そして桟橋《さんばし》へとふたたび歩きはじめた。

船に乗ると、エリーザベトは崩れるように倒れた。着ていた黒い服の胸元に血を認めた侍女は助けを呼んだ。「いったい、私の身になにが起きたの?」とエリーザベトは呟くと、そのまま目を閉じた。泊まっていたホテルに運ば

エリーザベトは心臓をひと刺しされた

れたエリーザベトの胸にはアイスピックに似た鋭利《えいり》な刃物による刺し傷があった。傷は心臓に達していた。医師が確認したときにはエリーザベトはすでに絶命していた。

エリーザベトに体当たりして胸を刺した男は、ルイジ・ルキーニというイタリア人のアナキスト（無政府主義者）だった。

ルキーニは思想的に敵であった王族や貴族などを殺害して、世の中にアナキズムを広めたいと考えていた。そう思っているところに都合よく現れたのが、護衛をつけずにいたエリーザベトだった。

逮捕後、ルキーニは自分一人の単独犯であることを主張した。だが、警察は背後に複数の仲間がいるのではないかと考えた。だとしたら、エリーザベト暗殺はかなり計画的なものであった可能性がある。

だがルキーニは供述を変えることはなく、真相は解明されないまま終わった。終身刑となったルキーニは十一年後の一九一〇年に独房内で首を吊って自殺した。

エリーザベトの死は世界に衝撃を与えた。各国はすぐに国際会議を開き、無政府主義者を監視する組織を結成することに合意した。現在の**インターポール**（国際刑事警察機構）はこの事件の影響もあって、一九二三年に設立されたものだ。

ノーベル平和賞受賞も裏切り者扱いされたエジプト大統領

サダト大統領暗殺事件（1981年）

中東情勢で常に話題となるイスラエルとアラブ諸国の関係。一九四八年のイスラエル建国以来、両者は宗教的対立もあって互いに受け入れられない存在として争ってきた。

そんななか、敵であるはずのイスラエルとの和平を実現した政治指導者がいた。エジプト・アラブ共和国初代大統領のアンワル・サダトだ。

仇敵イスラエルとも握手したサダト

サダトは一九一八年十二月生まれ。若い頃はカイロの王立陸軍士官学校で学び、軍人となった。だが第二次世界大戦中にドイツ軍への協力が疑われ、軍籍を没収《ぼっしゅう》されてしまう。

一九五二年のエジプト革命では友人でのちにアラブ連合共和国大統領となるガマー

ル・アブドゥル＝ナセルとともに反乱に参加。ナセルが大統領になると自らも連合国務長官や副大統領の要職《ようしょく》についた。

ナセルの死後は後継者として活動。一九七三年の第四次中東戦争ではイスラエルとわたりあい、国民の絶大な支持を得た。

この頃のエジプトは、イスラエルがアメリカの支援を受けていることもあって親ソ反米であった。

しかし、サダトは方針を転換し、親米寄りの政策をとるようになる。これによってイスラエルとの関係が改善。一九七七年にはエルサレムでイスラエルのベギン首相と会談し、翌一九七八年にはアメリカの仲介で両国の平和条約につながるキャンプ・デービッド合意を実現した。

幾度もの戦争を繰り返してきた両国の和平が実現したことによりサダトは同年のノーベル平和賞をベギンとともに受賞することとなった。

しかし、**エジプト単独でのイスラエルとの和平は他のアラブ諸国やイスラム原理主義者たちから見れば裏切り行為とも映った。**

🔍「私が望むのは、ただ平和だけだ」

一九八一年十月六日、エジプトで戦勝記念パレードが行なわれた。大統領であるサダトは専用のスタンドで軍事パレードを観閲していた。

そのサダトの前に、故障を装った砲兵《ほうへい》部隊の車両が停止した。下りてきたのはイスラム過激派組織ジハード団の息がかかった軍人たちだった。

サダトはこのとき、彼らが自分に敬礼でもするのかと待ち受けていた。しかし、そのかわりに投げつけられたのは手榴弾であった。暗殺部隊はサダトとそのまわりにいる人々に自動小銃を乱射した。

メンバーの中心であったハリド・イスランブリ砲兵中尉は観閲席《かんえつせき》に駆け寄ると倒れているサダト大統領にとどめの銃弾を見舞った。

大勢の人が見ている軍事パレードのさなか、大胆にも行なわれた暗殺劇は、そのまま過激派グループと護衛の保安部隊との銃撃戦となった。

乱戦は招待されていた外国の要人たちを巻き込んで、十一人が死亡する惨事《さんじ》となった。サダト大統領が殺されただけでなく、ムバラク副大統領、ガーリ外務大臣といった閣僚たちも怪我を負った。

虫の息であったサダト大統領は病院に搬送されて治療を受けたが、その日の夜に死亡が発表された。実行犯のイスランブリ砲兵中尉は逮捕され、銃殺刑となった。

他のアラブ諸国が成し得なかった仇敵《きゅうてき》イスラエルとの和解は、自身の死という代償を求めた。

サダト大統領は、生前、それを予感し、自分は暗殺されるだろうと語っていたという。

サダト大統領暗殺から四十年、彼がアメリカの特使《とくし》に対して語ったというこの言葉はいまだに色あせていない。

「私が望むのは、ただ平和だけだ」

二十一世紀のいまになっても他国を侵略しようとする指導者が存在するこの世界で、すべての政治家に思い返してほしい名言ではなかろうか。

【主な参考文献】

『暗殺の歴史』リンゼイ・ポーター著 北川玲訳、『アレクサンダー大王 未完の世界帝国』ピエール・ブリアン著 福田素子ほか訳(創元社)/『総理暗殺』大橋治雄(並木書房)/『暗殺の幕末維新史―桜田門外の変から大久保利通暗殺まで』一坂太郎(中央公論新社)/『日本史人物「その後のはなし」〈下〉江戸・明治』賀来耕三(講談社)/『鎌倉武士物語』今野信雄、『新選組決定録』伊東成郎、『二・二六事件』平塚柾緒、『世界史 ミステリー事件の真実 歴史の闇に葬られた未解決事件を追う』瑞穂れい子(河出書房新社)/『知っておきたいアメリカ意外史』杉田米行(集英社)/『嘉吉の乱――室町幕府を変えた将軍暗殺』渡邊大門(筑摩書房)/『ヒトラーの絞首人ハイドリヒ』ロベルト・ゲルヴァルト著 宮下嶺夫訳(白水社)/『日本のテロリスト』室伏哲郎(弘文堂)/『暗殺から読む世界史』ジョン・ウイッティントン著 定木大介訳(東京堂出版)/『新版 オサマ・ビンラディンの生涯と聖戦』保坂修司(朝日新聞出版)/『謎の豪族 蘇我氏』水谷千秋(文藝春秋)/『絶対に明かされない世界の未解決ファイル99』ダニエル・スミス著 小野智子ほか訳(日経ナショナルジオグラフィック)/『ジョン・レノン暗殺―アメリカの狂気に殺された男』フィル・ストロングマンほか著 小山景子訳(K&Bパブリッシャーズ)/『日本暗殺総覧―この国を動かしたテロルの系譜』泉秀樹(KKベストセラーズ)/『教科書が教えない歴史有名人の死の瞬間』新人物往来社編、『別冊歴史読本―日本秘史シリーズ1 幕末維新暗殺秘史―激動の時代に吹き荒れたテロの嵐!』(新人物往来社）／『世界陰謀史事典』ジョエル・レヴィ著 下隆全訳（柏書房）／『有名人のご臨終さまざま』マルコム・フォーブス ジェフ・ブロック著 安次嶺佳子訳（草思社）／『歴史群像シリーズ 飛鳥王朝史 聖徳太子と天智・天武の偉業』『歴史群像シリーズ59 激闘旅順・奉天―日露戦争陸軍〝戦捷〟の要諦』（学習研究社）

本書は、本文庫のために書き下ろされたものです。

「暗殺《あんさつ》事件《じけん》」ミステリー

著者　博学面白倶楽部（はくがくおもしろくらぶ）
発行者　押鐘太陽
発行所　株式会社三笠書房
〒102-0072 東京都千代田区飯田橋3-3-1
電話　03-5226-5734（営業部）03-5226-5731（編集部）
https://www.mikasashobo.co.jp
印刷　誠宏印刷
製本　ナショナル製本

 ISBN978-4-8379-3038-9 C0130

王様文庫